JN083380

東大院生
ただっち［著］

哲学者
山口大学国際総合科学部教授
小川仁志［監修］

「監修」まえがき

「不安の時代」を生き抜くためのトリセツ

パンデミックが、日常になりました。

今、私たちは「不安の時代」を生きているといっても、過言ではありません。そんな中でいかにして正気を保ち、そして幸せに生きていくことができるのか。それはやはり「不安を取り除く」よりほかないでしょう。そのための方法は二つです。

一つは、「不安の正体を突き止める」こと。もう一つは、その「不安の正体を飼いならす」ことです。実はこのいずれにも、哲学が役に立ちます。本書でこれから明らかにするように、哲学とは「様々な不安に対処するための叡智（えいち）」といっていいからです。

歴史上の哲学者たちは、不安の正体を明らかにする方法や、不安の正体とつき合っていく方法について、考えをめぐらせてきました。**幸か不幸か、いつの時代も「人間が抱く不安の本質」は変わりません。だからこそ彼らの考えは、今なお有効**なのです。

そうした哲学的叡智の数々を改めて並べてみると、そこに通底する哲学的な思考法が浮かび上がってきます。

いずれの哲学もまずは、**不安の原因と思い込んでいるものを疑う。そのうえで、違う視点から問題をとらえ直す。最後に、新しいものの見方を提示する。**

そうすることではじめて、**自分でも気づいていなかった「不安の正体が見えてくる」**のです。そして、その**「不安の正体と、どうつき合っていけばいいか」が見えてきます。**

この哲学的思考法をマスターできれば、**不安に限らず、どんな悩みにも対処していける**のではないでしょうか。基本的に、悩みには正体があって、哲学はその正体をつかむのに使える思考法だからです。

お化けが怖いのは、正体がわからないから。正体さえわかれば、怖いものはありません。

おそらくパンデミックでさえ、そうでしょう。

しかし、哲学をマスターするのは、簡単ではありません。だからまずは、真似ることです。本書の多くを占める漫画は、そのお手本だといえます。「こんなふうに哲学の叡智を使えばいいのか」ということが、ゆるく、それでいてうまく描かれていますから。それに続く解説やアドバイスは、漫画の内容を受けて、「哲学の叡智をどう生かせばいいのか」わかりやすく指南しています。

その意味で、これは**哲学の初心者に向けて、その使い方を丁寧に紹介した本**だと思います。皆さんにとって、本書が、「『不安の時代』を生き抜くためのトリセツ」になることを願ってやみません。

哲学者　小川仁志

生きてる限り

うー・・・

不安はどんどん増えていく

人間という生き物はとても弱いもので

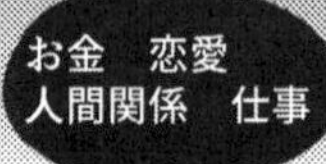

ちょっとしたことが引き金になってどん底まで落ちてしまうのである

でもそれは考える力があるからこそ

逆に考えることで問題を解決して不安を解消することもできるんだ

あーでもない
こーでもない

うーん
どうしよう

もうやだ
どうすればいいの？
ん？

…
あれ？

どうしよう
…
うわぁ
考えすぎて
迷っちゃった

?
うーん…
うろうろ…

?
あれー？
?
うろうろ…

あ！
あの道が答えかもしれない！

タタタタタ

ドーンッ!

い
痛い

じわっ…
あ…
もう無理…

私はきっと
この迷路から
抜け出せない…

おーい
上見て
ウエーッ!
!?

フウ
どっこいしょ
・・・

あ
あの
あなたはもしや・・・!

ぱぁああ…
私を正しい道へと導いてくれる系の・・・
すてきなうさぎさん!?

え
う〜ん・・・
そんな過剰な
期待されても
困るんだけど

ていうか
ボクも
出口とか
知らないし
がくっ

はぁ・・・
てかキミって
他力本願すぎ
じゃない？
都合よく誰かに
手を差し伸べて
もらえるなんて
大間違いだよ
う・・・

人生は
そんなに
甘くない
ぴゅー

でも
すたっ・・・

考え方さえ
分かって入れば
最短ルートで
解決できるのさ！
本当？
どうするの？
教えてよ！
例えば
この壁
こんな感じに
すり抜けられるのって
知ってた～？
ぬるっ…

し…知らなかった…！

でもそれってなんか…ずるくない？
え

真面目に悩めば悩むほど成長できるし
普通はちゃんと悩んで答えを見つけるのでしょ？

私だって考えれば答えを見つけられるはずよ！
どーん！

ビョーン
え

それ、本気で言ってるの？
にょーん
こわっ…

近道はズルじゃない

努力で考え方を身につけて
効率よく問題を解決してるだけじゃないか

だから
キミも早く
おいでよ！
ボクが
教えてあげる
からさっ！

考え方を
身につけて
近道をする

・・・

それも
いいかもね
ぬるっ・・・

目次

Contents

Contents

Contents

◎漫画　ただっち
◎装丁　安賀裕子
◎校正　本創ひとみ
◎編集　荒川三郎

本書の構成

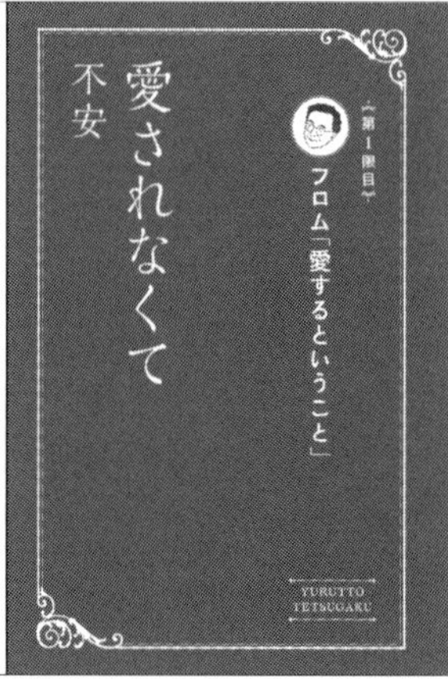
第1限目
フロム「愛するということ」
愛されなくて
不安
YURUTTO
TETSUGAKU

① さまざまな「不安」
人間関係、仕事、人生における日常の不安を紹介

② エピソード漫画
その不安にまつわる短編漫画を項ごとに挿入

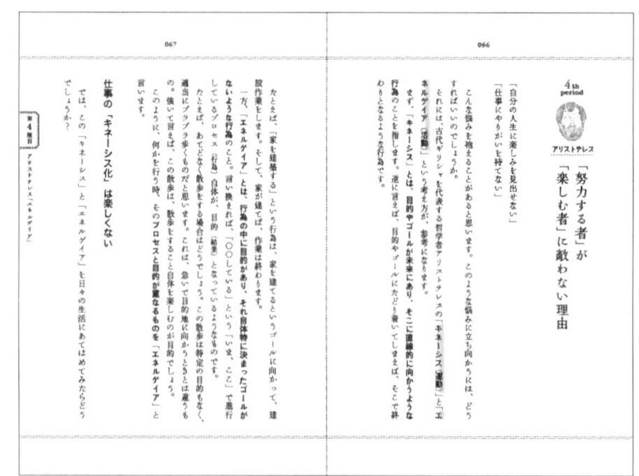
066

4th period
アリストテレス

「努力する者」が「楽しむ者」に敵わない理由

「自分の人生に楽しみを見出せない」
「仕事にやりがいを持てない」

こんな悩みを抱えることがあると思います。このような悩みに立ち向かうには、どうすればいいのでしょうか。

それには、古代ギリシャを代表する哲学者アリストテレスの「キネーシス（運動）」と「エネルゲイア（活動）」という考え方が、参考になります。

まず、「キネーシス」とは、**目的やゴールが未来にあり、そこに直線的に向かうような行為**のことを指します。逆に言えば、目的やゴールにたどり着いてしまえば、そこで終わりとなるような行為です。

067

たとえば、「家を建築する」という行為は、家を建てるというゴールに向かって、建設作業をします。そして、家が建てば、作業は終わります。

一方、「**エネルゲイア**」とは、**行為の中に目的があり、それ自体特に決まったゴールがないような行為**のこと。言い換えれば、「〇〇している」という「いま、ここ」で進行しているプロセス（行為）自体が、目的（結果）となっているようなものです。

たとえば、あてどなく散歩をする場合はどうでしょう。この散歩は特定の目的もなく、適当にブラブラ歩くものだと思います。これは、急いで目的地に向かうときとは違うもの。強いて言えば、この散歩は、散歩をすること自体を楽しむのが目的でしょう。

このように、何かを行う時、その**プロセスと目的が重なるもの**を「**エネルゲイア**」と言います。

仕事の「キネーシス化」は楽しくない

では、この「キネーシス」と「エネルゲイア」を日々の生活にあてはめてみたらどうでしょうか?

第4限目 アリストテレス「エネルゲイア」

③「不安」を「力」に変える思考法
偉大な哲学者たちの考え方を学んで、自分で問題解決できる力を身につけます

第1限目

フロム「愛するということ」

愛されなくて不安

YURUTTO TETSUGAKU

釣れないなぁ

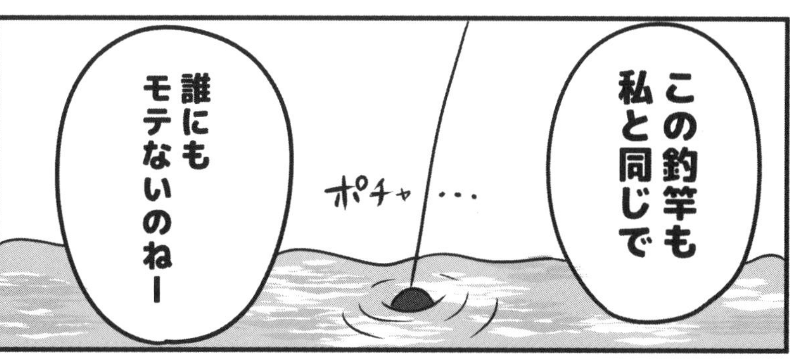
この釣竿も
私と同じで
ポチャ…
誰にも
モテないのねー

私だって
見た目も
悪くないし
おしゃれだって
頑張ってるのに
なんで…

なんで
私だけ
愛されない
のよーっ！
ビクッ

あ
あ
ポチャ…

どうして
愛されないかって？

のしっ…
ドドド
ドドド…

デダアッ!!
パアッ

ぷるぷる
ひ
ぷるぷる

ひとくいザメだぁっ!
ギャーギャー
ギャー
ガーン…
サメはサメでもジンベイだから人間なんか食べないのに…
ギャー

「愛」ってのはね
人から貰うもの
じゃなくって

相手を想って
自分で育てる
ものなんだ

あんた どーせ
男に構って もらえなくて ピーピー喚(わめ)いたり
あれして これしてって 求めてばかり いるんでしょ？

ぎくり…
う
コワイコワイコワ
だったら
どうすれば いいのよー

まずは
一人でも 生きていける 人間になりなされ

寂しさを 埋め合わせるために 愛を欲しがって
…
愛なんて 育めるわけが ない

だから
シャー
いつか出会う
誰かのために
孤独に負けない
強い自分を作って
人を愛する準備を
するといいよ

ありがとう
私…
愛する技術
磨いてみる！

ずいぶんと
豪華なエサを
持ってるんだねぇ
え

ところで
ぎゅるる

1st period

フロム

「愛される方法」ではなく「愛する技術」を求める

人は誰でも、愛を求めます。
時には、「愛されたいのに、愛されない」と悩むことがあるでしょう。
しかし、精神分析家の**エーリッヒ・フロム**にいわせれば、これは、愛について、よくある勘違いの一つなのです。
フロムは、「**多くの人は、愛について学ぼうとしない**」といいます。
多くの人は、「愛は、自分の意志とは関係なくなるもの」と思っています。
また、「愛されたい」という目線に陥りがちで、「人を愛せないのは、自分の愛にふさわしい相手がいないから」と思い込んでいます。

さらに、一瞬で落ちる代わりに一瞬で冷める「恋」と、ずっと続いていく「愛」をごちゃ混ぜにしてしまっています。
フロムは、「これらの勘違いが、愛を学ぼうとしない原因」と言っています。

では、フロムは愛をどのように捉えているのでしょうか？
フロムは「**愛は技術である**」と言っています。
つまり、**愛とは、能動的な営みであり、「音楽やスポーツなどと同じように技術が必要」**というのです。フロムはこう言います。

> 愛とは愛を生む力であり、愛せないということは愛を生むことができないということである。
>
> 『愛するということ』

ところで、なぜ、人には愛が必要なのでしょうか。フロムは**人間の根底には、「孤立から抜け出して、他の人と一体になりたい」という欲求と「『人間の秘密』を知りたい」**

という欲求の二つがあると言います。これらの欲求を満たす方法こそが、愛なのです。

さて、「愛は技術」であるなら、どうやってその技術を身につけることができるのでしょうか？

前提として必要になるのは、「**1人でもいられる力**」です。ただ単に、「寂しいから誰かを求めようとする」のは、愛とは言えません。愛とは、自分自身を見失うことなく、孤独感を克服することです。なのでまずは、1人でもじっとこらえることができる「**忍耐**」と「**集中力**」が必要となるのです。

その上で、人を愛するためには、「**『信じる』ことと、『勇気』を身につける必要がある**」、とフロムは言います。

「信じる」とは、むやみに信じるのではなく、根拠をもって、自分や他人を信じること。信じることで初めて、人に対して誠実になれるのです。

そして、人を信じるためには、恐くても一歩踏み出す「勇気」が必要です。フロムは、愛についてこうまとめています。

愛するということは、なんの保証もないのに行動を起こすことであり、こちらが愛せばきっと相手の心にも愛が生まれるだろうという希望に、全面的に自分をゆだねることである。

エーリッヒ・フロム(Erich Seligmann Fromm) **1900—1980**

ドイツ出身の社会心理学、精神分析学、哲学の研究者である。フロイト以降の精神分析の知見を社会情勢に適用した点が特徴的である。代表作とも言える『自由からの逃走』ではファシズムの心理学的起源を明らかにすることで、デモクラシー社会に必要な処方箋を提示した。

※毎項ごとの哲学者の引用著作に関して、同一著作から引用の場合、記載なしとする。

はぁ
愛する準備は完璧なのに相手がいない

あなたはきちんと愛する技術を身につけたのですね
よく頑張りました

え…なに⁉
まさか天の声的なあれ…？

この世界にはあなたの愛を待っている人がいるのです
あなたが次にやるべきことは自分を信じて動き出すこと…
トゥンク…

バァーン!
さぁ…勇気を出して
乗り込むのです!

でもボク恥ずかしながら
水上バイクは初めてなんだよなぁ…

いいえ…それは水上バイクではありません
え
手元をよくご覧なさい

ゾワァ
ハンマーヘッドシャークの
ビヨーンってなってるとこだよー!

第2限目

ショーペンハウアー「その人が何者なのか」

つい、自分と他人を比較して不安

YURUTTO TETSUGAKU

わーい
宇宙旅行だ
ぷかー
ぷか

えーと
どれどれ

あれが
一番人気の
土星かぁ！
キラキラ

おや…？
あれはなんか
見たことある
顔立ちだなぁ…
キラッ
キラッ

いやぁ
どの星もキラキラ
しててていいなぁ〜
イエ〜イ
あれっ？
ずーーん

あの星は・・・

芋っころの星だぁ！
え

芋っころの星だなんて・・・キミ酷いよ
うるるん・・・っ
ボクだって一生懸命生きてるのに・・・

そんな落ち込まないで
素朴である意味素敵だよ？
ある意味・・・
ぷか～っ
ずん・・・

ね
キミはどうしてそんなに暗くなってるんだい？

ボクはね
はーっ
不幸な星なんだ

他の星は生まれつき「スター」
スター!!
輪っかがあったりキャラクター性が高かったりしてさ

それに比べてボクはまるで芋っころ・・・

ボクは一度も輝くことなく
つまらない星として生きてゆくのさ・・・

それは間違いだよ〜
キミは他人を気にしすぎて自分のことを考えていない!

ドキッ
自分のこと?

幸せになるにはね
自分が何者なのかってことが大切なんだ

いやだからボクは芋で・・・
しゅん
そうじゃなくて
自分が「これだ」って思える特性を見つけて必死にそれを磨いて幸せになるんだよ

キミが芋だってのは不本意なわけでしょ？

ふわり

ふわり

だったら まずは納得のいく自分を見つけなきゃね！

そしたら今見えてる世界も大きく変化するかもしれない！

キミだけの

特徴をうまく活かせるといいね

ぱぁぁ…

そして数ヶ月後・・・

彼はキラリと光る個性と毛を伸ばして圧倒的に輝きだした

2nd period

ショーペンハウアー

「自分は何者か」を考え続ける人に他人が入りこむスキはない

「いつも誰かと比べて、自分のことを不幸に思ってしまう」

このような悩みを抱く人は、少なくないと思います。

多くの人は、幸せになりたい、と思っているでしょう。でも、幸せって一体何でしょうか？　このテーマについて論じたのが、ドイツの哲学者アルトゥル・ショーペンハウアーです。ショーペンハウアーは「**幸福**」について、次のような意外なことを話します。

苦痛なき状態で、しかも退屈でなければ、基本的に現世の幸福を手に入れたと言えるだろう。

『幸福について』

つまり、あくまでも「**幸福**」**とは**「**不幸ではない**」**状態**です。

では、**不幸の原因となる**「**苦痛**」には、どのようなものがあるでしょうか？

ショーペンハウアーは、「**他人のことを気にしすぎること**」**は、苦痛を招く**としています。

> 私たちのあらゆる気苦労、心配、腹立たしさ、怒り、不安、緊張などは他人の思惑と関係しており、（中略）不合理なものだ。

とは言うものの、どうしたら「他人と自分を比較しない」でいられるのでしょうか？

ショーペンハウアーは、**その人の**「**個性**」**や**「**人柄**」、**つまり、**「**自分が何者なのか**」**に気づくことが、最も重要**だと考えます。

なぜなら、**その人の個性や人柄は、**「**その人の中にしかない絶対的なもの**」**であり、**「**その人の世界の見方を形作るもの**」だからです。

自分の個性や人柄は、誰にも奪うことができません。そして、自分の意識次第で、あらゆる状況はポジティブにもネガティブにもなります。

ショーペンハウアーはこう言います。

大学の講師を一度だけやったけど、同じ時間にやっていたスター講師（ヘーゲル）が人気すぎて、受講者が８人しか集まらなかったんだって自力でできる唯一のことは「今の自分は何者であるか」を最大限にいかすことであり、したがってそれにふさわしい熱心な企てのみを追求し、それに合った修業の道にはげみ、わき目もふらず、ひいては、それにぴったりした地位や仕事や生き方を選ぶことである。

自分を見つめなおし、自分を最大限にいかす。
この生き方の中では、もはや他人のことなど気にする必要がなくなるのです。

アルトゥル・ショーペンハウアー(Arthur Schopenhauer) **1788年－1860年**
ドイツの哲学者。主著は『意志と表象としての世界』である。カント直系を自任しながら、世界を表象とみなして、その根底に働く〈盲目的な生存意志〉をといた。当時支配的だったヘーゲル哲学に圧倒され、世間には受け入れられなかったが、後世の哲学者や文学に大きな影響を与えている。

第3限目

ヘーゲル「主人と奴隷の弁証法」

他人に使われてばかりで不安

YURUTTO TETSUGAKU

はい
これ今日中に打ち込みしておいてね～

・・・
はぁい
どっさり

カタカタタカタカタ・・・

ちーん・・・
はぁ
もう無理

あの先輩
自分が楽したい
からって
人に
任せすぎ
なのよーっ
はーっ
あーしろ
こーしろ

てか
もう23時⁉
はっ…

また
終電かぁ
私って
あの女の
奴隷みたい・・・

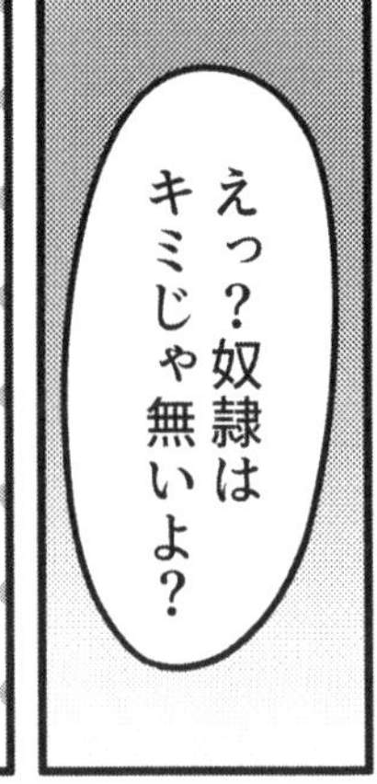
えっ？奴隷は
キミじゃ無いよ？

なに・・・？
誰の声⁉
ここ
ここだよー

キミの目の前！
パソコンを見てちょーだい
ヤッホー
元気ー？
なにこれきもーい！
新手のウィルス？
ウィルスじゃないよ？
二足歩行のひつじだよ！
ひつじ？
それはさておき

本当に奴隷なのは
ぴょーん
あの女さ

え
なんで？

ファイル(F)　編集(E)　表示(Y)
一見彼女は自由に見えるかもしれない
でも違うのさ！
ひゅ〜ん！

ポンッ
彼女は
君をパシッて初めて自由になれるからさ

君がいないと
全部一人でこなす
羽目になるでしょ?
♩
だから
本当の意味で
自由ではないのさ

ふーん
でもさぁ

不自由でも
楽な方が
よくない?
結局私だけが
苦労してる
だけだし!

悪いこと
ばかりじゃ
ないよ?
フラ
フラ
パシられた
おかげで
身についたものも
あるんじゃない?

キミって
タイピングも
すっごく早いし
マクロだって
組めるし
文章を
まとめるのも随分
上手になったよねぇ
ほんとだ・・・
言われてみれば
できることが
すごく増えてる！
奴隷生活も
捨てたもんじゃ
ないわねぇ
うんうん
よーし・・・
もっとスキルを
身につけて
本当の自由を
手に入れるよー！
・・・って
あれ？
ひつじが
消えた・・・？

3rd period

ヘーゲル

「マウント」を取ってくる相手に逆転勝利する方法

人付き合いは大変なもの。時々、上から目線で押さえつけるように何かを言ってくる人がいて、困ることもあるでしょう。ちなみに、インターネットの世界では、このような行為を「マウントを取る」などと言います。

このような時、参考になるのが**フリードリヒ・ヘーゲル**の「**主人と奴隷の弁証法**」です。これは、「**自己意識**（簡単に言ってしまえば、『自分が世界の主人公だ』という意識）」が発展する過程のお話ですが、非常に難しいので、少しアレンジしてお話しします。

あるところに、2人の人物がいました。この2人は、それぞれ「自分こそが世界の主人公だ」と思っています。そしてある時、この2人が出会いましたが、仲良くできません。お互いが「自分こそが、唯一無二の主人公である」と思っているからです。

そこで、2人は「**自分が自由で独立した存在であることを、相手に認めさせたい**」と考えるようになりました。

つまり、相手を屈服させることで、「自分こそが世界の主人公であり、自由な存在である」と証明しようとしたのです。

そして、2人は互いに、自分の自由を認めさせるため、生死を賭けて戦いました。

その結果、「死ぬことを恐れなかった方が勝者（**主人**）」、「死ぬことを恐れてしまった方が敗者（**奴隷**）」になりました。

その後、主人は自由を謳歌（おうか）し、衣食住など生活のためのわずらわしい「**労働**」は全部、奴隷に任せるようになります。

それに対して、奴隷は主人のために、汗水たらして一生懸命働きます。

主人のために、えっちらおっちら色々なものを作ってあげます。

しかし、働く中で奴隷は気づくのです。

「**本当に自由なのは自分の方ではないのか**」と。

ヘーゲルは、哲学は、ある時代が終わった後にその時代の本質を把握するものとして、「ミネルヴァの梟は迫り来る黄昏に飛び立つ」と表現したよ。ムズっ…

なぜ、主人は奴隷より「不自由」と言えるのか

どういうことでしょうか？

まず、主人は自由を手に入れたと思っています。

しかし、主人が自由であるためには、他の人、つまり、奴隷に認めてもらう必要があります。しかも、奴隷が自分の世話をしてくれなければ、生活ができません。

つまり、ある意味、**主人は奴隷に縛られており、自由を失っている**のです。

一方、奴隷は死ぬことを恐れてしまったから、奴隷になってしまいました。

ですが、死を恐れることで、「自分が掛け替えのない存在」であることに気がつきます。

また、労働する中で、忍耐を身につけます。そして、**何かを生み出す能力を身につけ、自立して自由に生きるためのチャンスを掴む**のです。

そう考えると、**主人と奴隷は、いつの間にか、その立場が入れ替わっている、**ともみなせるのです。

さて、このお話から引き出せる教訓は、「上から目線で押さえつけようとする人のことは気にせず、自分は自分なりに物事に取り組むべき」ということ。

確かに、人から「上から目線」で、とやかく何かを言われることは辛いことです。

ですが、その辛さを「自分を大事にする気持ち」につなげましょう。

その上で、高圧的な人の言うことは気にせず、自分なりに何かを生み出すため、一生懸命努力する。

そうすれば、自分の方が「本当は自由であること」に気がつけるようになります。

つまり「**負けるが勝ち**」なのです。

フリードリヒ・ヘーゲル（Friedrich Hegel）**1770－1831**
ドイツ観念論を代表する哲学者。遅咲きながら主著『精神現象学』で華々しくデビュー。その後、社会哲学の金字塔ともいえる『法の哲学』を発表した。また、プロイセン改革を積極的に支持したことにより、プロイセン政府の好感を得て、1829年にベルリン大学総長に選出された。

第4限目

アリストテレス「エネルゲイア」

「成功者」になれなくて不安

YURUTTO TETSUGAKU

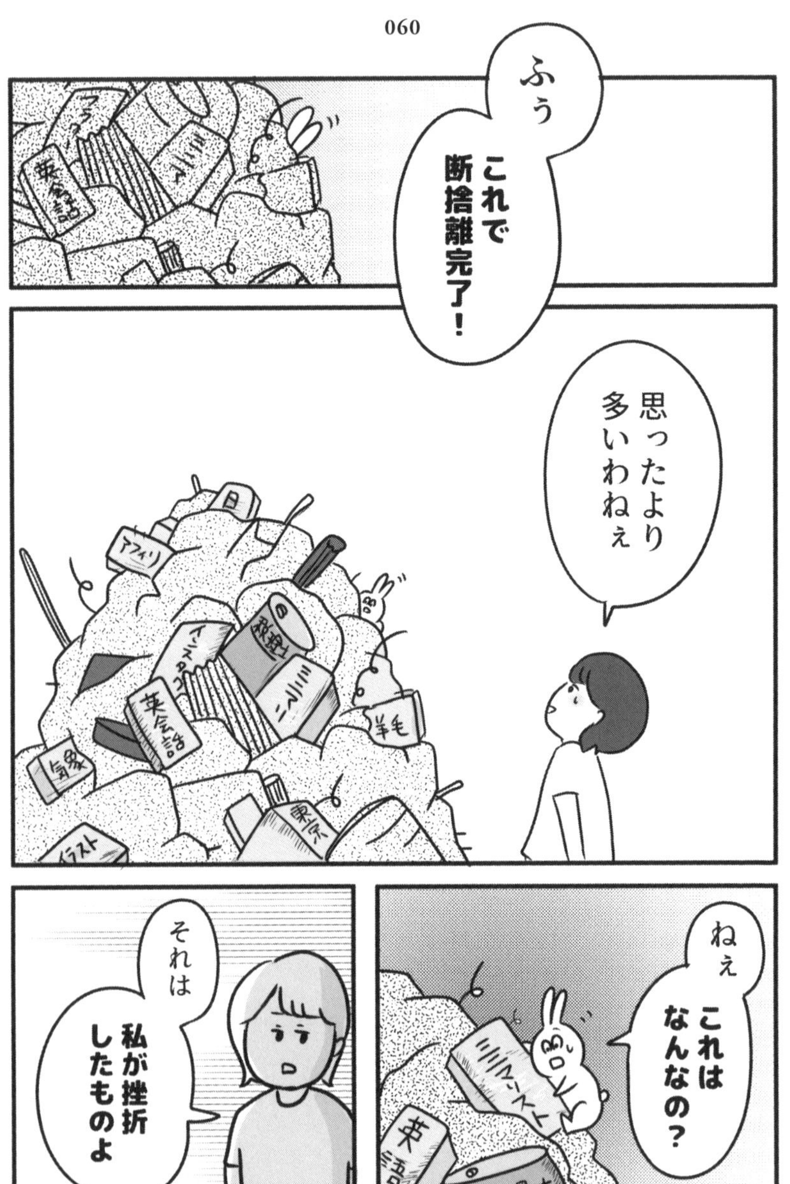
ふぅ
これで断捨離完了！
思ったより多いわねぇ
ねぇ
これはなんなの？
それは
私が挫折したものよ

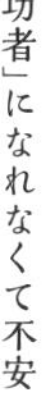

あの　は人気インスタグラマーだし

若手経営者

HAPPY LIFE

その子はビジネスで成功してるし

でも
何をやっても途中で飽きたり
向いてないいって思ってやめちゃうの

だから
いっそのこと何かを頑張るのはやめようって

普通に生きるための
心の断捨離ってところかしら

うーん

君は
成功できるモノにまだ出会えてないだけじゃないの？

君は努力をしているとき
その作業自体を楽しめていた？
成功や完成を目的に作業していたんじゃないの？
はぁ めんどくさい しんどいなぁ
いや
でも
そんなの誰だって同じじゃない？
!
何かで「キラキラ」してる人のほとんどは
違うんじゃない？
キミが上手くいかないのはエネルゲイアじゃなくてキネーシスになってるからなんだよ
き…きねーしす？
?
?

キネーシスは
目的に向かって
活動する行為の
ことなんだ
お金・・・
成功・・・
目的を達成すると
おしまいの
直線的な行為だよ！

それに対して
エネルゲイアは
行為自体が
目的になっているもの
楽しい
幸せ
もく
もく
時間を忘れて
何かに熱中している
時がそれなのさ

君にもそんな
経験があるんじゃ
ないの？
・・・まぁね

ならそれが
君にとっての
成功の原石かも
しれないね！

だってさ
完成ならまだしも
成功なんてなんの確証もないゴールだよ

おまけみたいに
みんな楽しんでるうちに成功がついてくるんじゃないかなぁ

ガサゴソ
羊毛
ポイッ
!
おっと

あった

それなに〜?
ふふ
なんだと思う〜?

4th period

アリストテレス

「努力する者」は「楽しむ者」に敵わない

「自分の人生に楽しみを見出せない」
「仕事にやりがいを持てない」

こんな悩みを抱えることがあると思います。このような悩みに立ち向かうには、どうすればいいのでしょうか。

それには、古代ギリシャを代表する哲学者アリストテレスの「**キネーシス（運動）**」と「**エネルゲイア（活動）**」という考え方が、参考になります。

まず、「**キネーシス**」**とは、目的やゴールが未来にあり、そこに直線的に向かうような行為**のことを指します。逆に言えば、目的やゴールにたどり着いてしまえば、そこで終わりとなるような行為です。

たとえば、「家を建築する」という行為は、家を建てるというゴールに向かって、建設作業をします。そして、家が建てば、作業は終わります。

一方、「**エネルゲイア**」**とは、行為の中に目的があり、それ自体特に決まったゴールがないような行為**のことを指します。言い換えれば、「〇〇している」という「いま、ここ」で進行しているプロセス（行為）自体が、目的（結果）となっているようなものです。

たとえば、あてどなく散歩をする場合はどうでしょう。この散歩は特定の目的もなく、適当にブラブラ歩くものだと思います。これは、急いで目的地に向かうときとは違うものです。強いて言えば、この散歩は、散歩をすること自体を楽しむのが目的でしょう。

このように、何かを行う時、その**プロセスと目的が重なるものを**「**エネルゲイア**」と言います。

仕事の「キネーシス化」は楽しくない

では、この「キネーシス」と「エネルゲイア」を日々の生活にあてはめてみたらどうでしょうか？

たとえば、「生活するために働く」場合を考えてみましょう。これは、辛抱強く我慢してでも、未来の目的に向かってまっすぐ進むという点で「キネーシス」にあてはまります。

確かに、「キネーシス」は生きていく上で、必要不可欠です。しかし、目標に向かって直進するだけでは、そこに至るまでのプロセスを無視することになり、人生は楽しくなりません。

これに対して、「エネルゲイア」はどうでしょうか？　アリストテレスはこう言います。

> 快楽は本来『活動（エネルゲイア）』にほかならず、それ自身目的（テロス）なのである。
>
> 『ニコマコス倫理学（下）』

アリストテレスは、哲学だけじゃなくて、生物学、物理学、演劇などあらゆる学問の基礎を作ったことから『万学の祖』と言われているよまた別のところでは、こうも言います。

活動なくして快楽は生じないし、他面また、あらゆる活動を究極的に完璧たらしめるものは快楽なのである。

要するに、生活を楽しくするためにはエネルゲイア、つまり、何かをする（活動する）、その瞬間自体を楽しむことが大事なのです。ゴールに至るまでのプロセスを無視すると、その活動は不完全なものとなります。

最後に、アリストテレスのこの言葉を紹介しましょう。

快楽はかく活動を促進するのであるが、活動を増進するのはその活動に固有の快楽でなくてはならぬ。

人は何かのために、働いたり、生きたりしているのではありません。
大切なことは、**仕事をしている、生きていることをその瞬間、その都度楽しむ**こと。
その上で、その仕事、その人生ならではの楽しみを見つけ出す。
そして、そこで見出された楽しみが、仕事や人生をより充実させていくのです。

アリストテレス(Aristotelēs)**前384－前322**
古代ギリシアの哲学者。プラトンの弟子であり、ソクラテス、プラトンとともに西洋最大の哲学者の一人とされており、「万学の祖」とも呼ばれる。マケドニア王アレクサンドロス3世の家庭教師であったことでも知られている。

第5限目

ベルクソン「純粋持続」

いつも時間に追われるようで不安

YURUTTO TETSUGAKU

忙しい忙しい
あーっ忙しい！
ギャアア
よしよしっ
休みたい
遊びたい
眠りたい
よしよし

時間がない
時間がない
時間がない
くるくる
バタバタバタ…
つかれた
つかれた
つかれた
つかれた

ぐる
忙しい
ぐる
ぐる
忙しい
ぐる

はぁ
1日が終わった・・・
バタンキュ〜
おつかれ私・・・

ゴゴゴゴ・・・

ぱっ…

オハヨ
ひょっこり

え?

キャーッ
こわい！
ビクッ

あ・・・
夢かぁ

あれ・・・？
この音・・・
ゴゴゴゴ・・・

川だ
川だねぇ

・・・

はぁ
もうやだ
なんで？

私ね
すっごく
時間がないんだ
よっと

毎日毎日
育児と家事と
パートで1日が
終わっちゃってさ
もぐ
もぐ

でねー
自分の時間が
なさすぎて
生きてる気が
しなくって…
もぐもぐ
もぐもぐ

もうっ！
人が大事な話
してるときに
何食ってんのよ！
もーっ！
え
エビだよ？

とにかく
私が
言いたいのは
プッ

生活が
この川みたいに
忙しくって
自分の時間が
全然なくて
辛いってこと！
ほー
ゴゴゴ……

やることが多すぎて
知らない間にあっという間に時が流れちゃうの
それは違うよ
君は
時間の概念を間違えている!
人間は時間を数値を使って考えようとするよね?
15:30
でもそれは
タタタ…
単なる思い込みにすぎない!
ドバシャ

よーく覗いて見てごらん？
はーっ
はーっ
そこには何が映ってる？

…自分？

その通り！
本当の時間は自分の中にしかないんだよ

時間っていうのは意識の中に絶えず感情が湧いてくることで生まれる、**質的なもの**なんだ！
ご飯作らなきゃめんどくさ～い
赤ちゃんあやさなくちゃはぁ疲れる～
仕事行くのいやだなぁ
時間

まぁ
寝てる時は
時間を感じない
もんね～

時間の質が
高くないなら
どんなに量的な
時間があっても
同じなんだよ
つまり

楽しい感情が
続くようにすれば
君にとっての
時間が増えるって
ことだね
楽しい
感情かぁ…
難しいけど
やってみるよ

5th period

ベルクソン

スケジュール帳を予定で埋めるほど「焦燥感」に駆られる理由

私たちは普段、1日を24時間に区切って、その中で、「この時間は○○をしよう」「この時間は△△しよう」とスケジュール帳を埋めるように、何かをすると思います。

時には、「アレもやらなくちゃ…これもやらなくちゃ…あっ！　もうこんな時間」と時間に追われることもあると思います。

時間は誰にでも平等。

これは、一見当たり前のこととして捉えられています。凡人だろうが、天才だろうが、1日は等しく24時間です。しかし、**私たちが普段感じている時間は、スケジュール帳や時計などいわば、「量」や「数値」に縛られた時間なのでしょうか？** フランスの思想家**アンリ・ベルクソン**は、私たちが意識で感じる時間は、決して区切れるものではなく、**流れるような「純粋持続」**だと言います。

「純粋持続」とは、「意識の中にどんどん現れる感情や記憶が、お互いに溶け合って、流れていくような時間」を表します。そう言うと難しそうに聞こえますが、これは、私たちが普段、無意識に感じている時間の流れです。

たとえば、好きな曲を思い浮かべてみましょう。もし、その曲のことを知りたいと思って、その曲から一つの音を切り取っても、何も感じとれません。

一方、いろんな音が溶け合って、メロディーになると、私たちはその曲を「流れ」として感じることができます。この時、私たちは、音楽を「純粋持続」として感じている、と言えます。

この「純粋持続」では、時間はもはや「量」ではありません。それは、**様々な「強度」を持つ「質」**です。

たとえば、私たちは、何かに熱中した後、「濃い時間を過ごしたなぁ」と思うことがあります。ここにあるのは、その時間の質の強さ（濃さ）であって、決して量ではありません。たとえば同じ1時間を過ごしたとしても、その感じ方は人それぞれでしょう。

そういう意味で、「時間は不平等」とも言えるです。

ベルクソンは、小説は書いていないけど、その文章力が評価されて、1927年にはノーベル文学賞を受賞しているよ

没頭した時間＝自由な時間

そして重要なことは、「**純粋持続」の中で生きている限り、私たちはすでに「自由」**だと、ベルクソンは言っていることです。

> 自由行為は流れた時間ではなく、流れる時間の中で行われるものである。したがって、自由とは一つの事実であり、確認される諸事実の中でも、これほど明瞭なものはない。
>
> 『時間と自由』

もし、「忙しくて時間がない」と思ったら、「純粋持続」のことを思い出してみてください。忙しいと思うのは、時間を量として捉えていることが原因かもしれません。私たちが本来、感じる時間は、時計やスケジュールに縛られたものではありません。スケジュール帳をムリに予定で埋めようとする人ほど、「時間貧乏」になり、焦燥感に駆られがちになる理由は、ここにあります。

最後に、ベルクソンのこの言葉を紹介しましょう。

> 自由に行動するということは、自己を取り戻すことであり、純粋持続のなかに身を置き直すことなのである。

「たくさんの時間」ではなく、「濃い時間」を過ごすように心がけましょう。

「本当にやるべきこと」「本当にやりたいこと」は、その延長線上にあるかもしれません。

アンリ・ベルクソン (Henri-Louis Bergson) 1859－1941
フランスの哲学者。具体的な生は、創造的な進化の活動だとし、「生の哲学」を提唱した。著者には、時間について考察した『時間と自由』や、「イマージュ」という概念を提起した『物質と記憶』などがある。

第6限目

シオラン「怠惰の高貴さ」

「意識高い系」を見ると不安

YURUTTO TETSUGAKU

ヒェ〜ッ
え…？w
まだ東京で
消耗してるの？

？
そこの
ネトゲ廃人
たぬきも

アイドル
追っかけ豚も
え

君たちの人生は
一度きりなのに
どーして
自分の幸福を
追求しないんだっ
草アッ!

どーせ
文句言いながら満員電車に乗って夜遅くまで働いて朝早く起きる生活なんでしょ〜？
w

そして休日にはコンテンツに興じて何も生み出さず1日を終えてるんだよね〜？
ブブブッ
名無しのぶた
わかりみが深い
ブフゥw尊い
怠惰だねぇ
怠惰だねぇ

はははははは
ホラッ
このボクを見てごらん？w
起業、セブ島留学
農業、ノマド生活・・・
努力した者だけが手に入る幸せを享受する毎日さっ！
プリ
プリ

言われてみれば
怠惰な生活を
送ってるかも・・・
フリ
フリ
ブゥ

今のボクは
休日のこれが
楽しみだけど・・・
ボクの人生
こんなので
いいのかなぁ
ブゥ
アイドル

へっ
しょうもな
ファッ!?
怠惰の
何が悪いんだ

何がって・・・
仕事に打ち込んでる
ワケでもないのに
毎日疲れ果てて
休日は
アイドル豚
なんだか
情けない
ブゥ

仕事で消耗することが
怠惰で情けないってー!?
カーーッ

あはは
まじで言ってる?
ブゥ

ブタよ情けなくても気にするでない

いいかい?怠惰とは
高貴なものなんだ・・・

それに実際は
何もせず一人で
家でじっとするなら
他人に迷惑かけないで
済むんだから

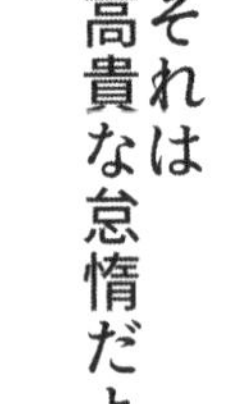

それは
高貴な怠惰だよ

いーや
怠惰はこの世に必要不可欠！
怠惰な時間を想像してごらん
ブゥ
怠惰な時間は何かの行動を一旦保留してるワケだけど
したくないしたくないしたくないしたくない
したくないしたくないしたくない
そのかわりに
保留してること以外の選択肢を考えられる
寝ようか
ラーメン
外出
プ〜ッ

何かをするということは同時に別の何かをしないということ
立ち止まって何かを考える時間もとても貴重だよ

聞いたかペンギン
君は怠惰を軽視してるんだぞぉ

えー？w 怠惰を軽視？
そんなことないけどなぁ

ボクの場合怠惰な時間もしっかりマネタイズしてるからねっ！
さぁ！君達もボクのサロンで人生変えない？
ブゥ
草生(は)やさざるをえん

6th period

シオラン

「何も始めない人」には秘められた可能性がある

毎日朝早く起きて、夜遅くまで一生懸命働く。

私たちの周りでは、これは素晴らしいこととされています。

その一方で、「あー、だるい…何もしたくない」という状況は「**怠惰**」とされ、悪いこととしてイメージされています。

しかし、「怠惰＝悪」と、本当に言い切れるのでしょうか？

ルーマニア出身の思想家**エミール・シオラン**は、「怠惰」は「**高貴な悪徳**」だと述べています。これは、一体どういうことなのでしょうか？

まず、「怠惰」とはなんでしょうか？　シオランによると、「**怠惰」とは、「なにかをし始めることを拒むこと**」を表します。

たとえば、「あー、もう朝だ…起きたくない」というのは、1日を始めることを拒否するという意味で、「怠惰」なのです。「怠惰」は、働くことだけでなく、あらゆる場面で「何かを始めることを、拒否すること」を指します。

さて、労働をせず生きている人は、ラクしているのでしょうか？

シオランは、ノーと言います。

> 私たちはひとつの仕事をもつことを求められている。まるで生きることがひとつの仕事、それももっとも困難な仕事ではないかのようだ。
>
> 『思想の黄昏』

シオランは、「『怠惰』**をとても強い生き方**」と捉えています。

私たちが生きる社会では、「生き生きと、活動することが良いこと」とされています。これは、見方によっては、「生き生きしろ」と強制されているようにも見えます。

たとえ、悪いことをする人であっても、活動的だからこそ、悪いことができるのです。

視点を変えれば、怠惰な人は「悪いことを始めることを、拒否している人」とも言えます。怠惰は、消極的とはいえど、悪への立派なレジスタンス行為になりうるのです。

さらに、何かすることを拒むというのは、社会からはじき出されるリスクがあるので、とても勇気がいる生き方なのです。

シオランは、このような意味で「怠惰」を「高貴な悪徳」と言っているのです。

何かをするとは、同時に何かをしないこと

もちろん、ずっと「怠惰」であるわけにはいきません。生きるためには、布団から出る、ご飯を食べるなど、動かなくてはならないからです。

しかし、私たちには「怠惰」が必要です。なぜなら、**「怠惰」である間は、何かすることを一旦保留にして、いろんな選択肢を考えられる**からです。

「考える前に、行動あるのみ」という言葉をよく耳にします。でも考えて欲しいのは、**「何かをすることは、同時に他の何かをしない」**ということ。ある意味、怠惰な人には、多くの可能性が秘められているのです。

シオランはこう言います。

困難な問題を解決しなければならず、重大な転機に直面したら、そういうときはいつも、ベッドにもぐり込み、待つのが一番だ。直立の姿勢で行う決断には二束三文の価値もない。それは思い上がりに、あるいは不安にそそのかされたものだから、性急なものだ。

『カイエ』

もし、重大な決断を迫られたとしても、焦る必要はありません。一度、「怠惰」になってみましょう。「果報は寝て待て」です。

エミール・シオラン (Emil Mihai Cioran) **1911－1995**

ルーマニアの作家・思想家。エクスタシー経験、メランコリー、鬱、不眠など、精神的苦悩をもとに特異なニヒリズム的思索を展開した。1937年にパリに移住し、「私は知識人としての自分の位置付けを最もよく表現できる国籍というものを持たない」という名言を残した。

はぁ

どしたの？

実はなぜか好きになれない人がいて・・・
ブゥ…
その人が悪いわけじゃないから好きになりたいんだけど・・・
えw
ひくわー
副業してないの？

それはね
無意識があるからだよ
たぶん

好きになれないわけは無意識にあるイヤな記憶と結びついているんだ
だけどその記憶を思い出せないから理由がわからなくなるんだ

は…
そ
それって

蛇を見ると勝手にゾワってするのも
そうなの？
そうかもね

お前の血
吸うたろか
南無ッ

第7限目

サルトル「まなざし」

他人の目が気になって不安

YURUTTO TETSUGAKU

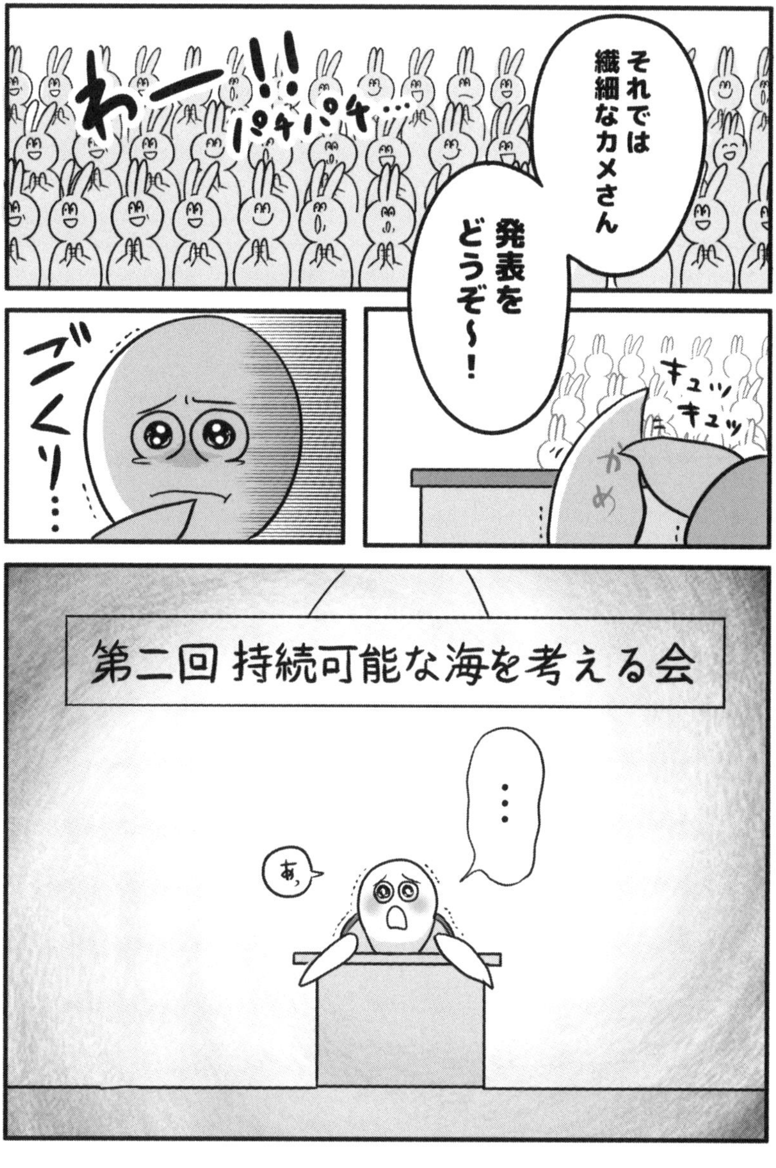

それでは繊細なカメさん
発表をどうぞ〜!
わー!!
パチパチ…
キュッキュッ
かめ
ごくり…
第二回 持続可能な海を考える会
…
あっ

ウサギの大群が
この私の一挙一動
注目している気が
ひとたび私が動き
をとればたちまち
ウサギの視線が
一点に集中する
だろう…ああ
まずはなにか
動かせば一番
自然なのだろうか
右ヒレ？左ヒレ？
顔に注目がいくこ
だけは避けたい
やはりまずは右ヒ
に注目を集めたト
落ち着いてスピー

やい
カメ公
はやく
はやくぅ〜
はっ…

こちとら
オメェの
発表だけを
見に来たんじゃ
ねーぞ！
は〜っ

おーい
はよー
息してる？
カメー
早くー
そーだー
そーだ

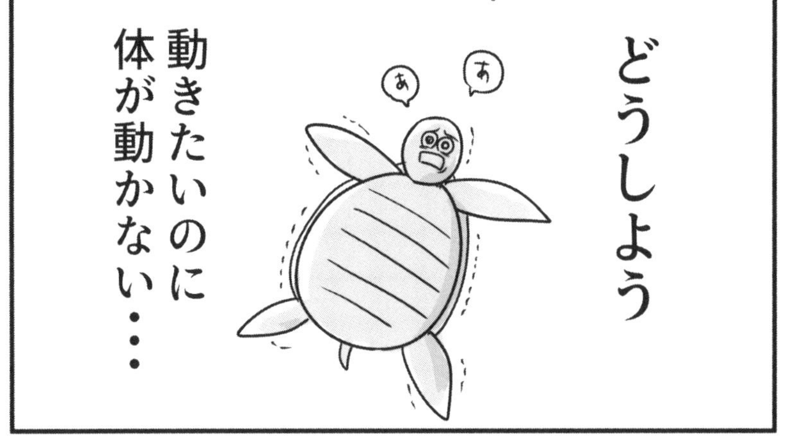

おーい！
大丈夫～？
ビュン！

あっ
はっ…
じーーー…
ごめんなさい

なんでかな
みんなに見られてると思うと
体の動かし方がわからなくなっちゃって…

自分が自分でなくなったみたいで
よしよし…
こわかった

大丈夫だよ
ぴょんっ
君は
「まなざされる」ことによって他人の目で自分を見てしまっただけさっ！

まなざされ？
ぷるぷる…

君は今まで
自分のまなざしを
あらゆるモノに
向けることで
自分の中で
世界を構築して
いたんだ

だけどそこに
!
「他人」の
まなざしが
あらわれた

そうすると
他人がキミを
評価して
!
キミの世界に
侵入し始める

自分で作っていた
君についての評価が
まるでモノのように
他人に委ねられた
弱そう
へんなの
草食て…
だから君は
評価を気にして
他人のまなざしで
自分を見たせいで
動けなくなったんだ

じゃあ
あの時のまなざし全て

プルプル・・・
自分のまなざし・・・
ポッ
こわっ

だからね
生き物だと思わない方がいいんだよ
例えば他人をガイコツだと思うとかさっ
骸骨？

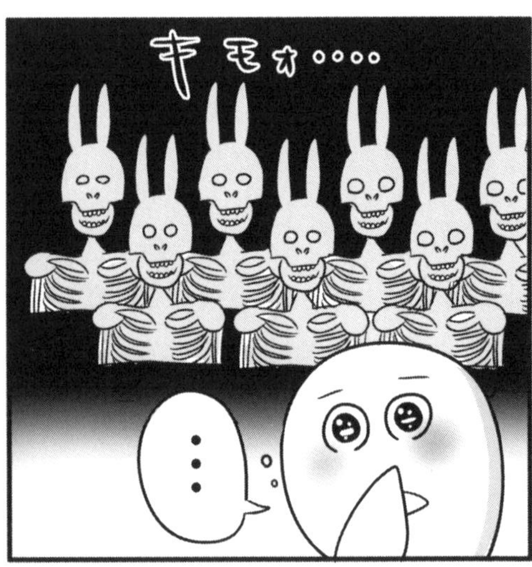
キモォ・・・・
・・・

こ・・・
こっちの方がこわいよぉ・・・
プルプル
プルプル
えー

7th period

サルトル

他人の視線から逃げず自分から迎えに行く

「他人の目が気になって動けない」

このような悩みは、多くの人が抱くと思います。

でも、なぜ、人の目が気になってしまうのでしょうか？　これを考える上で、参考になるのが**実存主義**の哲学者、**ジャン＝ポール・サルトル**の「**まなざし**」という考えです。

まず、サルトルは、人間特有の存在の仕方について考えました。**人は、石や机などのモノとは違い、意識を持っています。**ここで大事なことは、意識とは、「〜に対する意識」と言うように、常に何かに向けられるものだということです（**志向性**）。

これは、「自分」に対しても、例外ではありません。**人は、常に自分に意識を向けながら、「私」という人間を、作り上げていきます。**

このように、「常に自分に対して、意識を向け続けるような存在のあり方」をサルトルは「**対自存在**」と呼んでいます。

そして、人は自分自身や周りの様々なものに意識を向け、それらに意味を与えながら、自分の世界を作りあげていきます。意味の与え方は人それぞれですから、100人いれば100人の世界があるでしょう。このような点で、人間は「自由」なのです。

自分も他人に「まなざされる対象」である

しかし、この自由には障害があります。それは、他人の存在です。他人も、周囲に意識を向けながら、その人の世界を作っています。その中では、自分も他人のまなざしの対象となってしまうのです。いわば、他人に「まなざされる」わけです。

「**世界を作る存在であった自分**」**が、いつの間にか、**「**他人にまなざされる対象**」**となる。その時、自分という存在は、他人にとっては単なるモノになってしまう**のです（**他有化**）。

他有化の状況というのはたとえば、自己評価とは違う評価やレッテルを、他人から与えられる状況などがあてはまるでしょう。

サルトルはノーベル文学賞に選出されたけど、「いかなる人間でも、生きながら神格化されるには値しない」と言って、受賞を辞退したんだ他有化が起こると、私は「他人に見られる存在（**対他存在**）」になり、自由を奪われてしまいます。そこで、自分も「まなざし」を返す、つまり、**他人をモノ（対象）としてみることで、自分の自由を取り戻そうとします**。

これは、先の例で言えば、自分にレッテルを貼られた時、「自分のことを〇〇と呼ぶアイツだって、△△じゃないか」とレッテルを貼り返すような状況でしょう。この時、**自分と他人の関係は、対立（相克）することになります**。

サルトルは、この対立を次のように表現します。

地獄とは他人のことだ。

『サルトル全集第八巻　恭しき娼婦』

つまり、他人の目が気になるのは、他人の目（まなざし）が自分の作る世界を壊す、言い換えれば、「自分の自由を侵すもの」だからなのです。

では、どうすればいいのでしょうか？　他人のまなざしは避けることができません。

だから、サルトルは、「自分から他人のまなざしを受け止めることが大事」と指摘します。

なぜなら、「自分から」、つまり、自発的であれば、その積極性において自分の自由を認めることができます。そして、「まなざしを受け止める」ことで、他人の自由も認めることができるからです。サルトルはこう言います。

私は私の自由と同時に他人の自由を望まないではいられなくなる。

『サルトル全集第十三巻　実存主義とは何か』

確かに、他人の目は気になるもの。ですが、それを恐れずに自ら受け止める勇気を持ちましょう。**他人の自由を認めることで、あなたも初めて自由になる**のです。

ジャン＝ポール・サルトル（Jean-Paul Sartre）1905－1980
フランスの哲学者、小説家、劇作家。現象学に刺激され、実存主義者として戦後の思想界・文学界を率いた。また、文学者の政治参加を主張し、様々な活動に積極的に参加した。サルトルの功績は大きく、１９８０年の彼の葬式には、５万人以上の市民が集まるほどだったという。

第8限目

ウィトゲンシュタイン「言語ゲーム」

「空気」が読めなくて不安

YURUTTO TETSUGAKU

はぁ〜ん
最高ですなぁ
ですなぁ
ですなぁ

百日と言わず
ずっと
生きてくれって
感じですなーっ

……
……
……?

まんまと
あのウシに
愛着湧き
ましたなぁ
…うし?

なにこれ
こわ〜
?
ボク的には
社会的にしぬって
オチだと睨んでる
んだけどねー!
ハハハハハ
ヒーッ
ヒーッ
なんちって!
ウシって何?
なんの話?

アハハ
こりゃあ
ヒーッ
傑作だぁッ
ヒーッ
ハハハ

あのぅ・・・
おそる
おそる
キミは・・・
一体なんの話をしているんだい？

え
バッシャンッ

百日後に
しぬウシの
話だけど・・・

でも
そんな
話の流れじゃ
なかったよ？
・・・

でもキミ…
ウシの話をしてたでしょ？
いつ？
ジャ
よっ

道中の車の中で
BoooN
あの牛が…
古ッ

なんの脈略もなく数時間前の話を持ってこられても意味プーだよ
ウツボくんもっと空気を読みなよ～

空気かぁ
ポチャ…ッ
それ よく言われるんだよなぁーっ

ボクと話すとみんな「えっ」って顔するんだ
え
こわい
え

はぁ…
どうしたらその「空気」ってのが読めるようになるのかなぁ…

そんなの
簡単だよ
言語ゲームに
参加すれば
いいだけさ
ゴッ
ゴッ

げ
言語
ゲーム？

トランプも
オセロもスポーツも
どんなゲームにも
ルールがあるだろ？
そして
空気が読めない
キミでもルールを
守ってるよね？

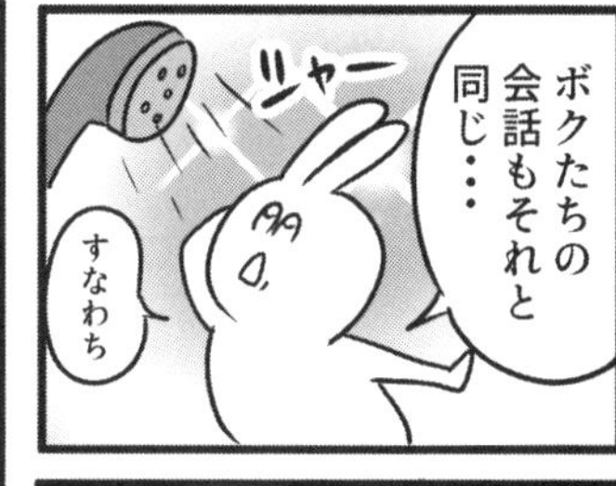
ボクたちの
会話もそれと
同じ・・・
シャー
すなわち

だから キミが
脈絡もなくウシの話を
したのはルール違反
ってことだね
そりゃあ
たまげた・・・

ゲームなのさ。

ボクたちはね
言語ゲームに
参加して
少しずつ
その場その場で
ルールを学んで
いくんだよっ！

例えば
さっきボクが
「最高だなぁ」って
言ったのは
最高〜
お風呂の話を
するというルール

つまりキミは
常に会話にどんな
ルールがあるのか
意識すればいいのさ
タタタ
ザパーン！

道中で
ウシの話を
している時なら
最高〜
それは
ウシのこと

ウシの未来
どうなるん
だろうねぇ
ホルスタインなら
乳牛だけどね〜
え？
え？

8th period

ウィトゲンシュタイン

コミュニケーションの裏にある「ルール」を見抜くコツ

「この人とうまく会話が噛み合わないなぁ」
「時々空気を読めない発言をしてしまう」

人間のコミュニケーションは、複雑です。

そもそも、**人間のコミュニケーションは、主に、言葉（言語）によって行われます。**

言葉には、それぞれ意味があります。私たちは、言葉の意味を互いに共有しているからこそ、コミュニケーションを交わすことができるのです。

私たちのコミュニケーションを考える上で参考になるのが、言語哲学の先駆者**ルートヴィヒ・ウィトゲンシュタイン**の「**言語ゲーム**」という考え方です。

「言語ゲーム」では、まず、私たちのコミュニケーションの場を「ゲーム」として捉えます。

ゲームといえば、将棋やオセロなどを思い浮かべるかもしれません。重要なのは、これらの「ゲーム」には、必ずルールがあることです。

これは、私たちのコミュニケーションも一緒です。**私たちが日々行っている言葉のやりとりは、あるルール（約束）をもった「ゲーム」、つまり、「言語ゲーム」なのです。そして、言葉の意味は、この「言語ゲーム」の中で決まります。**

少しわかりにくいと思うので、こんな場面を想像してみましょう。あなたは家族みんなで、ご飯を食べています。その時、家族の誰かが「お醤油」と言いました。

この言葉を聞いた時、みなさんはどう思いましたか？　おそらく、「醤油をとってほしい」という意味で捉えたと思います。

しかし、辞書通りの意味なら、ただ、調味料の名前を言っているにすぎません。みなさんは「言語ゲーム」のルールを身につけているからこそ、「お醤油」という言葉を「醤油をとってほしい」という意味で捉えたのです。

つまり、**「言語ゲーム」とは、言葉の意味に関するルール（約束）を持つ、コミュニケー**

ウィトゲンシュタインは、一時期、哲学への熱意がなくなって、田舎の小学校教師や庭師をやっていた時期があったんだよ

ションの場（ゲーム）なのです。同じ言葉であっても、その時々で、意味が異なるのは、私たちが無数の「言語ゲーム」の中で生きているからです。

言葉と生きることはセット

「学校での言語ゲーム」「職場での言語ゲーム」「家での言語ゲーム」

私たちは、**日常生活において、それぞれの言語ゲームに参加し、特定のルールを一つ一つ身につけていくことで、言葉をマスターします**。そして、言葉をやりとりすることで人生を作っていきます。言葉と生きることとは、切っても切り離せないのです。ウィトゲンシュタインはこう言います。

> 一つの言語を想像するということは、一つの生活様式を想像することにほかならない。
>
> 『ウィトゲンシュタイン全集8　哲学探究』

もし、みなさんが、周囲の人とのコミュニケーションの食い違いで困っているのであれば、一度、「言語ゲーム」のことを考えてみましょう。

「この人と私が、そもそも同じ言語ゲームに参加していないのではないか？」

「みんなは、どんな言語ゲームのルールに沿って話しているのだろう？」

ゲームのルールを身につければ、きっとあなたの会話はかみ合ったものになり、毎日が楽しくなるでしょう。

ルートヴィヒ・ウィトゲンシュタイン (Ludwig Wittgenstein) **1889－1951**

オーストリア出身の哲学者である。著書『論理哲学論考』の中の「語り得ぬものについては、沈黙しなければならない」という言葉でよく知られている。一度、哲学から離れるが、その後再び哲学研究に取り組む。特に、「言語ゲーム」などの考察を深めたことにより、後の分析哲学、言語哲学の基礎を作り上げた。

なかなかいい湯だったね
い…いいゆ？

えーとうーんと
今は…えーと脱衣所の前にいるから…

ウツボくんボクの前では空気読めなくても別にいいんだよ！
ポッ…
うさぎくん…

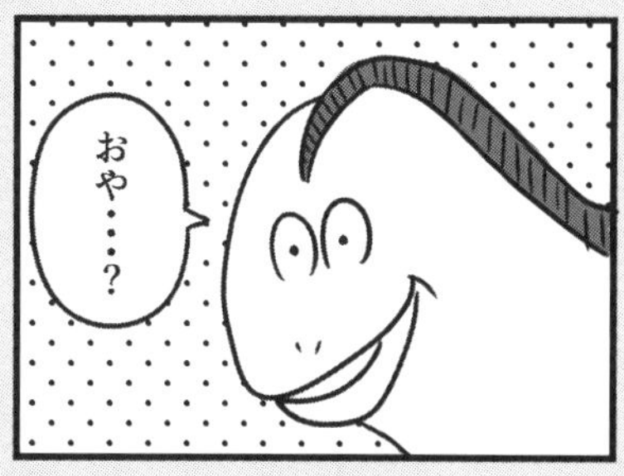
おや…？

繊細なカメじゃないか
あっ…！

…何してるの？
えっ…いや…別に何も…っハイ

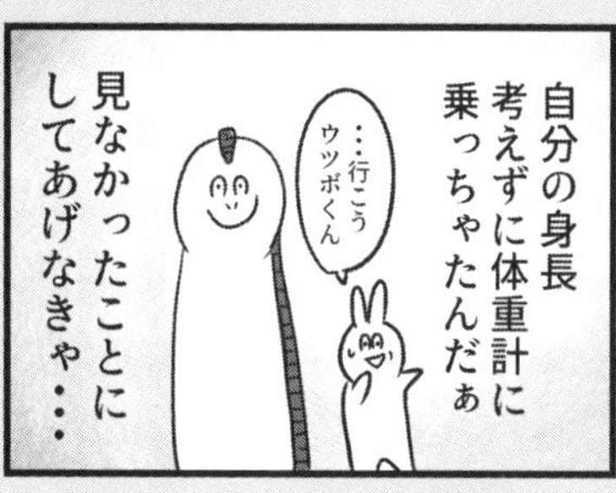
自分の身長考えずに体重計に乗っちゃたんだぁ
…行こうウツボくん
見なかったことにしてあげなきゃ…

おっ！95キロもあるんだねぇ～
背が低いの忘れて体重計に乗っちゃたの？
空気は読めてるけどデリカシーがない…

第9限目

ドゥールズ（とガタリ）「逃走線」

逃げだしたいことが多くて不安

YURUTTO TETSUGAKU

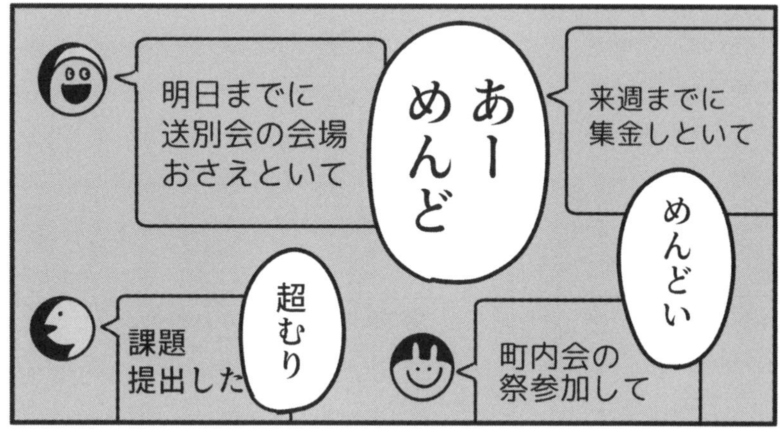
明日までに
送別会の会場
おさえといて
あー
めんど
来週までに
集金しといて
めんどい
課題
提出した
超むり
町内会の
祭参加して

ねぇ
うさぎ
どうしてこうも
やることばかり
増えていくの？

はぁーあ
もうやだ
にげたい

はぁ・・・
このまま人知れず姿を消してしまいたい・・・
・・・なんてね

なんで消えたいの?

嫌なことから逃亡すればいいだけだよ
ブチッ・・・

やーねぇ これだからウサ公は・・・
人間にとって逃走ってのは
責任感に欠けてモラルがないと見なされるのよ

え・・・逃走は悪いことだと思ってるの⁉
プッ
まずっ
・・・
これだからヒト公は・・・
ふー
逃走ってのは創造的なんだよ
逃走が
ごくり…
創造的？

「現実」はまさに
地図に新しい線を
加えていくのと
同じで
新発見
新発見

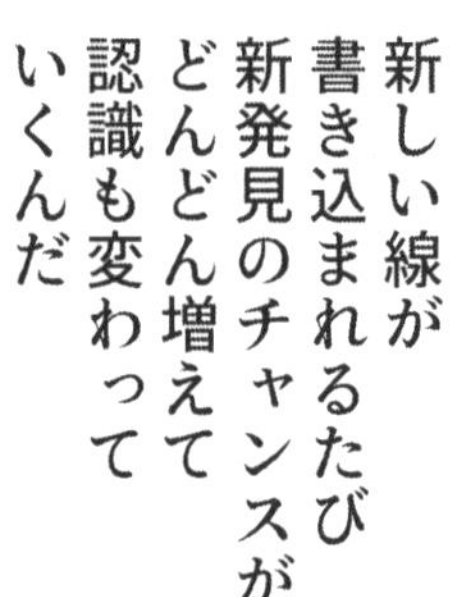
新しい線が
書き込まれるたび
新発見のチャンスが
どんどん増えて
認識も変わって
いくんだ

そして
逃走は
新しい線に
なるってわけさ!

逃走線って
こと・・・?

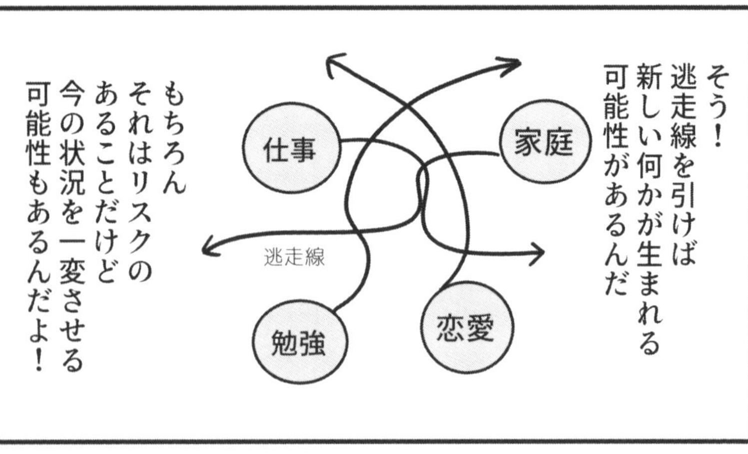
そう!
逃走線を引けば
新しい何かが生まれる
可能性があるんだ
家庭
仕事
逃走線
恋愛
勉強
もちろん
それはリスクの
あることだけど
今の状況を一変させる
可能性もあるんだよ!

逃げずに
頑張ることも
大事だけど
同じ場所に
留まっていると
その枠組みから
抜け出せないんだ
…

だから
逃走線は
創造的なのさ

…じゃあ
逃げちゃおう
え
何から？

この街！
いーね
キミは
人生に大きな
逃走線を
引くんだね

9th period

ドゥールズ
（とガタリ）

「逃走」はリスキーだがクリエイティブな行為

どこかに逃げてしまいたいような状況は誰にでも訪れます。「逃走」という言葉にはいつもネガティヴなイメージが付きまといがちです。ですが、本当に「逃走」とは悪いことなのでしょうか？

フランスの哲学者**ジル・ドゥルーズ**と精神分析家**フェリックス・ガタリ**は、**「逃走することを、地図に線を描くというイメージで、「逃走線」と呼んでいます。**

ドゥルーズとガタリによると、「**地図**は現実そのもの」だそうです。

地図は、平面に線を書くものですが、線を書き込むごとに地図はどんどん変わっていきます。同様に、**現実の認識や現実との関わり方は、何か新しいことが起きる（線が書き**

込まれる）度に、どんどん変わっていきます。ドゥルーズとガタリは、こう言います。

地図は開かれたものであり、そのあらゆる次元において接続可能なもの、分解可能、裏返し可能なものであり、たえず変更を受け入れることが可能なものである。

『千のプラトー』

つまり、地図は線が書き込まれる都度、「アップデート」されていくものなのです。

そして、**この「地図」は「リゾーム」の形をしている**と言います。

「リゾーム」とは、「根茎」とも呼ばれ、始まりも終わりも中心もなく、中間だけしかないもののことです。形としては、網状に線が展開しており、その線も絶えず変化し、繋がっていたり切れたりするようなものです。少し抽象的ですが、ちょうどインターネットのような網目をイメージしていただければ分かりやすいでしょう。

まとめると、私たちの現実は、「地図」であり、「リゾーム」でもあるのです。

逃走は新しい武器を獲得すること

さて、この「地図」や「リゾーム」の中で、「逃走線」を引くとはどのようなことなのでしょうか？

「逃走（フランス語でfuite）」という言葉には、「**漏洩**（ろうえい）」など「漏れ出す」という意味もあります。つまり、「逃走」は、決められたルートや既存の枠組みから逃れ出て、新たなものを生み出すというイメージなのです。

よって、「**逃走線**」**を引くということは、現実逃避などではなく、ある意味、積極的な創造的行動**なのです。ドゥルーズはこう言います。

> 逃走は行動を諦めることではない。逃走ほど行動的なものはない。想像の反対だ。
>
> 『ドゥルーズの思想』

このように、ドゥルーズとガタリは、「**逃走**」**を**、「**地図**」**や**「**リゾーム**」**という現実の中で、**

ドゥルーズはテクノロジーの発展により、社会は「管理社会」になるとかなり早くから予言していたんだ！

「既存の枠組みから逃れ、新たなものを創造する営み」、そして、新たなものに出会い、「絶えず別のものになる（生成変化）営み」、として捉えたのです。

もちろん、この「逃走線」はあらゆるものから逸脱するため、自らを滅ぼす危険性も伴います。その意味で、破壊的かつリスクのあるものです。

しかし、その先でしか、私たちがまだ見ぬ新しい世界は生まれません。

もし、いまの状況から抜け出したいと思ったら、「逃走」を意識しましょう。それこそ、「線」として、「複数の逃げ道を絶えず作り上げていくこと」が大切。

ドゥルーズは「逃走」について、次のように一言でまとめています。

> 逃れるとは、現実を生み、人生を創り、武器を発見することだ。
>
> 『ドゥルーズの思想』

ジル・ドゥールズ (Gilles Deleuze) **1925－1995**

フランスの哲学者。20世紀のフランス現代哲学を代表する哲学者の一人である。フェリックス・ガタリとの共著で、戦争機械、リゾーム、器官なき身体などの概念を創造していった。

フェリックス・ガタリ (Félix Guattari) **1930－1992**

フランスの哲学者、精神分析家。病院に分析家として勤務する一方で、政治運動、精神医学改革運動などにも積極的に関わった。

第10限目

ボードリヤール「記号と差異への欲望」

買っても買っても満たされなくて不安

YURUTTO TETSUGAKU

なんでだろう
何かがおかしい

そして
少しダサい

ダサいッ
無理ッ！

超ムリッ！

こんなの
バカにされる
早く新しい服
買いに行かなきゃ！

待ちなさい

誰…？
鏡…？

はっ
まさか…

ぱぁあぁ…

正しい道へと
導いてくれる
感じの

もう一人の
私的なやつ⁉

そうだよ！
よく わかったね！
ビクッ

その格好 もしかして 私の真似⁉
ムカッ
私はそんなに ダサくない！

ただでさえ ダサく見えて きたのに・・・
ビュンッ
あんたが 着てるの見て 余計にダサく 感じちゃう・・・

しゅん
キミみたいに おしゃれに なりたかったのに

へーっ
キミもわかってるんだねぇ
なに〜？
ぎゅっ
どーいう意味？
どうしてキミの服が色褪せて見えるのか
あーん
どうして買っても買っても満足できないのかわからないかい？
えっむりわかんない
なに？
キミはね、服じゃなくて
記号を消費してるだけなんだよ

キミは流行っていて個性的っていう記号を購入して

他人との「差」を作っているんだ

だから
キミの買った服は
流行してみんなが
買っているから
差異が小さくなって
魅力的に
見えなくなって
しまったんだ

こうしてる
間にもほらっ
少し差のある
商品が
生み出されて
いるはずだよ？

・・・
そんなの
いくら買っても
キリがないじゃ
ないの・・・

流行に乗るの
バカらしく
なっちゃった
ボクみたいに
全裸だったら
楽なのにね～

10th period

ボードリヤール

「他人と一緒はイヤ」この考えこそ画一的である

スマートフォン、家電、ブランド品。新商品や流行の商品を見ると、ついつい買ってしまう場合があります。それにしても、私たちはどうして、新商品や流行の商品を買いたくなるのでしょうか？　このような、現代の私たちの傾向を読み解く上で、フランスの思想家・社会学者**ジャン・ボードリヤール**の議論が役立ちます。

まず、ボードリヤールは、**現代社会における商品の価値は、「その商品を使うことで得られる効果（使用価値）に基づくもの」ではなく、その商品が示す「意味や情報（記号）に基づくもの」であると**指摘します。

少し噛み砕いてみましょう。たとえば、どのTシャツにも、「私たちの皮膚を守る」などの使用価値があります。ですが、あるTシャツに人気ブランドのロゴがプリントされていれば、値段は一気に上がるでしょう。なぜなら、ブランドのロゴがあることによって、そのTシャツは「他のTシャツとは違う、おしゃれなもの」という記号的価値を持つからです。

私たちはこのように、記号を消費します（**記号消費**）。ちなみに、消費とは、「欲望を満たすために、物やサービスなどを使うこと」を指します。

では、私たちはなぜ、記号消費をしたがるのでしょうか？

それは、**「他の人とは違った、個性的な人間でありたい」という欲望（差異への欲望）があるから**です。私たちは差異を求めるからこそ、個性をアピールできる記号的価値を持つ商品を続々と買ってしまうのです。たとえ、「ミニマリズム（できる限り持ち物を少なくするライフスタイル）」といった「消費しないように見える生き方」も、「ミニマリズム」という記号を消費しているにすぎません。差異への欲望は、「『消費を拒否する』ことを消費する」といったように、より巧妙な形で表れることもあります（**メタ消費**）。

個性を求める人ほど、無個性

しかし、ボードリヤールは、人々が記号消費によって、**「個性化を目指そうとすればす**

「無印良品」は、創業者がボードリヤールの本から、インスピレーションを得て生まれた、って言われてるよ

るほど、逆に、人々の間に違いがなくなる」と逆説的な指摘をしています。なぜなら、「記号は産業や社会によって生み出されるもの」であり、「その人のオリジナルなもの」ではないからです。

たとえば、ファッションの流行は、ファッション産業の人々が「これが流行る」とメディアで宣伝することで生まれます。また、服は量産可能なものであり、決してオリジナルなものではありません。つまり個性を目指すほど、みんなが流行の服を着るようになれば、そこにもはや個性などありません。みんなが流行の服を着るようになれば、そこにもはや個性

ボードリヤールはこう言います。

差異の崇拝はもろもろの差異の喪失の上に成り立つのである。

『消費社会の神話と構造』

このような差異の喪失から、私たちはどのように抜け出すことができるのでしょうか。

残念ながら、ボードリヤールは明確な処方箋を出していません。さらに、こう言います。

――特異性とは、他者や世界との具体的対立関係においてしか生まれない。

確かに、あなたの個性は、他の人やモノとの違いによってしか定義できません。あなたは、他の誰とも違うから、あなたなのです。

しかし、あなたの個性は、決して、ファッションやライフスタイルなどではありません。ましてや、お金で買えるものでもありません。

「自分らしさ」を追い求めることに、取り憑かれてはならない。

これが、ボードリヤールから引き出せる教訓でしょう。

ジャン・ボードリヤール (Jean Baudrillard) **1929-2007**
フランスの哲学者、思想家。『消費社会の神話と構造』は現代思想に大きな影響を与えた。ボードリヤールの哲学は、芸術の分野に影響を与え、1980年代に台頭したシミュレーショニズムの精神的支柱になっており、映画『マトリックス』のもとになった。

第11限目

ニーチェ「永劫回帰」

「やり直したいこと」だらけで不安

YURUTTO TETSUGAKU

ガタン…
ゴトン…
…
だれ？
きもっ
ん？
ゾクッ
…！

なんだぁ
夢かぁ
つまんな

ちがう
夢じゃない
は？

クスクス…
よくみて ほら…
キミの過去だよ？

私の過去？
それって
どういう…

！

あれは

高1のときの私じゃない・・・！
なんで？ ありえないんだけど
やだーっ超芋っぽーい

随分と怒っているようだね

…この件で悪いのは私よ
彼氏が女の子にメアドを教えたことに腹を立てて問い詰めてるのよ

そんなメンヘラ行動を繰り返して
ほら見て！フラれちゃった

半年ほど
引きずったなぁ
あんなに
好きだったのに
ほんとバカね

あのとき
別れていなければ
**どんな未来が
あったんだろう**

ガタン…
あ
あれは？

ゴトン…
…！
あれは…

たぶん…
大学の入試
？
なんだか
浮かない顔
してるけど…

本当は
美容師になりたかったんだけど
親に反対されて大学に進学したの・・・

ばかよね
小さい頃からの夢だったのに

私ね
来月大学卒業して会社員になるの

きっと
何年か働いて結婚して
赤ちゃん産んでお母さんになって
せわしく時間が流れて
私の夢なんて二度と叶わないの

ねぇ！
変なリス
あい
私の人生
もう一度
やり直しさせて！

それは
無理

けち
けちじゃない
・・・

仮に
人生を何周もできるとしたらさ

何周できたとしても
前の記憶なんてない
だから今のキミは
何度目の人生なのかも
わからない
嬉しいことも
悲しいことも
起こる順番すら
ずっとずっと同じ
1回目
2回目
3回目
4回目
n回目

だから
次の人生に
期待したって
意味がないんだ

今の人生で
過去を悔んでも
今の人生でも
何も意味がないし
次の人生で
救われることもない

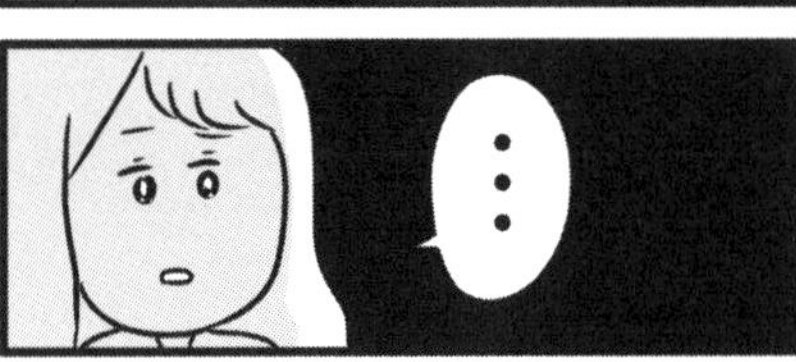
…

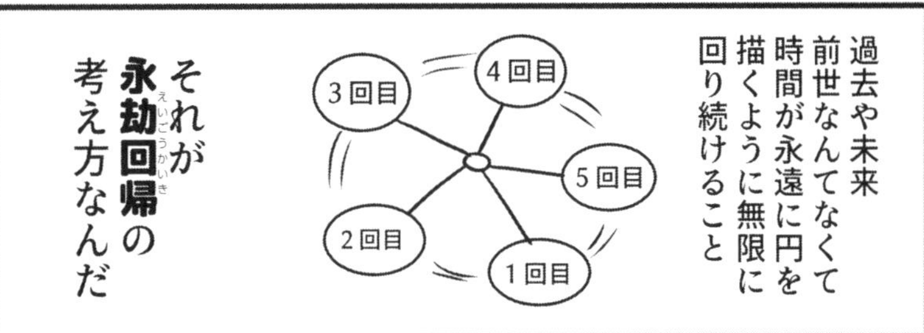
過去や未来
前世なんてなくて
時間が永遠に円を
描くように無限に
回り続けること
4回目
3回目
5回目
2回目
1回目
それが
永劫回帰(えいごうかいき)の
考え方なんだ

だったら
繰り返してもいいように今を大事に生きるべきじゃないの？
やり直しはできないけれど今できることはたくさんあるさ
繰り返してもいいような
人生かぁ
は…っ…
あれ？
やっぱり夢だったのかぁ
GOOD LUCK
美容専門学校入学案内
パサ…

11th period

ニーチェ

「この人生を何度繰り返してもいい」今からでも、そう思えるよう生きる

「人生、やり直したい」
「後悔ばかりで辛い」

私たちは、ついつい、「あの時、こうしていれば」と後悔の念に取り憑かれることがあります。

しかし、後悔ばかりしていても仕方がありません。そのことを教えてくれるのが、現代思想にも多大な影響を与えた哲学者、**フリードリヒ・ニーチェ**の「**永劫回帰**（えいごうかいき）」という仮説です。

まず、ニーチェは、「**人の生を支えるありとあらゆる価値が一切なくなること**」を「**ニ**

ヒリズム」と呼びます。ニーチェによると、すでに歴史には「ニヒリズム」が浸透しているそうです。確かに、現代の私たちにとって、一生すがりつくことができるような「絶対的なもの」は、もはや存在しないように見えます。

有名な「**神は死んだ**」という言葉は、人の生に根拠を与えていた「宗教や道徳などはもはや、存在しない」ということを、強く指摘する言葉です。

そして、この「**ニヒリズム**」**が極限まで行ったところに現れるのが、「永劫回帰」という世界像です。この「永劫回帰」は、「あらゆる出来事が同じ順番で、永遠に繰り返し起こるような世界像**」のことを指します。

例えるなら、同じCDをずっとリピート再生するようなものです。この世界では、過去や未来、前世や来世がなく、時間が永遠に円を描くように、無限に回り続けるのです。

これを、私たちの人生として考えれば、どうなるでしょうか？

「永劫回帰」の中では、私たちの人生も何度も繰り返されます。そう考えると、いまの私たちの人生も、もはや何回目の人生なのかもわかりません。

ニーチェは、24歳で大学教授になるほど早熟の天才だったんだよ！
ちなみに、ヴァーグナーの音楽が大好きだったんだよ～

つまり、「嬉しいことも辛いことも含めて、私たちの人生はすでに決まっており、それを無限に繰り返す」ことになります。

このように、**「同じ人生を永遠に歩むことになる」のであれば、あらゆることが無意味に感じられる**でしょう。だからこそ、「永劫回帰」を「ニヒリズムの究極形」としたのです。

ニーチェはこう言います。

万物は永遠に回帰するのだ。われわれ自身も万物と共に。そしてわれわれは無限の回数にわたって現に存在していたのだ、万物もわれらと共に。

『ツァラトゥストラかく語りき』

それでも自分の人生を肯定する

この「永劫回帰」では、後悔しようが何をしようが無駄です。私たちを救ってくれる「あの世」や「来世」もありません。

しかし、ニーチェは、それでも、「『**勇気**』を持って、この『永劫回帰』を、強く肯定することが大事だ」と言います。つまり、**何度同じ人生を歩もうが、その人生を「もう一度歩んでも良い」と思えるよう生きることが重要**、と主張したのです。

そして、自分の人生を肯定できるようになることで、私たちは、人間の弱さを克服し、最も健康で最も強い人間である「**超人**」になる、とニーチェは考えました。

――勇気はこう語るからだ。「これが生だったのか。よし、もう一度」と。

フリードリヒ・ニーチェ (Friedrich Nietzsche) **1844－1900**
プロイセン王国（現ドイツ）出身の哲学者、古典文献学者。実存主義の代表的な思想家の一人として知られる。ハイデガー、バタイユ、フーコー、ドゥールズなど、ニーチェの哲学は以後の文学や哲学に多大な影響を与えた。

第12限目

ジジェク「相互受動性」

惰性で働いてしまって不安

YURUTTO TETSUGAKU

TOKYO
SUN
NIS
8月のノルマ
・・・
カタカタカタカタ・・・
カタカタカ
電車が発車します
プシュー・・・
ブンブンー！
ハロー
・・・
スヤ・・・

カタカタカタカタ…
・・・
電車が発車します
プシュー…
ブンブン ハロー
・・・
・・・

・・・

ふぁ――・・・

あれ？

なんだかオレって・・・

毎日
同じことを繰り返してるような・・・

人間ってどうして
楽しくないのに毎日同じことを繰り返すの？

あなたって
随分退屈そうに
毎日テレビを
見てるわよね〜

ドヤッ

ね

どうしよう・・・
悪霊が見える

ムキー!!

失礼ね!
どう見ても
妖精じゃないの!

私はね、あなたがどーしてそんな生活してるのか知ってるんだよー？

知りたい〜？
ブン
な
なんだよ
ブン
あ
知りたいんだ

ふふん♪
どくいっ
それはズバリ

相互受動性のせいよ！
ドーン！

そ・・・相互受動性？

えー？
知らないのー？
くる
くる

誰かの料理
誰かのペット飼育
誰かのサプライズ
誰かの爆買い
誰かのやってみた
誰かのクイズ
誰かの結婚式
誰かの受験
誰かの釣り

これらの楽しみを
自分の代わりに受け取ってもらってよろこんでるのよ！

・・・でもさぁ自分で体験せずに満足できるならそれでいいじゃん
省エネで

ううん・・・よくない！
だってね
相互受動性は現状維持を続けるための支えになるの

現に
あなたはやりたくもないお仕事を
毎日毎日続けてしまってるんじゃない？

だから
まずは
びしっ!
自分自身で
楽しみを
受け取ってみては
どうかしら?

そしたら
きっと
つまらなくて
同じ毎日から
抜け出せる
はずよ

もしもし
あの 今日は
仕事休みます

どこに
行こうかなぁ
バタン…

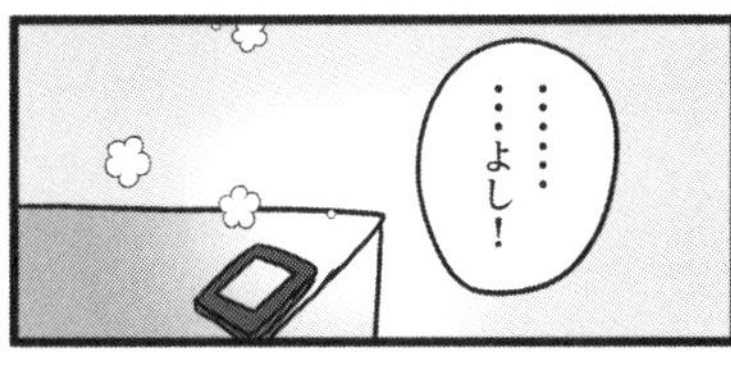
……
…よし!

12th period

ジジェク

「イヤな仕事をムリに続ける努力」より「楽しみを感じとる努力」をする

こんな状況を想像してみてください。

「毎日毎日、働いて、家に帰る頃にはクタクタ。とりあえず、寝転んで、スマートフォンをいじる。動画サイトを開いて、お気に入りのゲーム実況動画を見る。『昔はゲームが好きでよくやってたけど、今は誰かがゲームをやってるのを見るだけでいいや』と満足してしまう」

みなさんもこのように、「誰かが、自分の代わりに何かをしている。それを見るだけで満足してしまう」という経験をしたことがありませんか？

この、「自分の代わりに何かをしてくれる」のは、「人」ではなくてもいいのです。こんな経験なら、必ず一度は味わったことがあると思います。

「好きな番組や映画を撮り貯めただけで、満足してしまう」
「本をたくさん買っただけで、満足してしまう」などなど…。

これは、ある意味「『レコーダー』が自分の代わりに番組を見たり、『本棚』が自分の代わりに本を読んだりしてくれている状況」です。

哲学者の**スラヴォイ・ジジェク**は、このような状態を「**相互受動性**」と呼んでいます。「**相互受動性」とは、自分の代わりに他の人やモノが何かを受け取ってくれる状態**を指します。

ジジェクは、「相互受動性」があるからこそ、「私たちはいつも**能動的**でいられる」と説明しています。つまり、他の人やモノが、自分の代わりに何かを受け取ってくれている間、私たちは能動的に「別のこと」ができるというのです。

「（ホントは家に帰っても見る暇がないけど）レコーダーに好きな番組がある」
「（ホントは読むほど余裕がないけど）本棚に好きな本がある」

ジジェクは、名作映画考察のドキュメンタリー映画（『スラヴォイ・ジジェクによる倒錯的映画ガイド』）が作られるほど、映画に詳しいんだよ！

そう自分を慰めて、残りの仕事を頑張ってしまう…このように、私たちは四六時中、「別のこと」に能動的になってしまいがちです。

何も変えないために、能動的な人

しかし、「能動的だから良い」というわけではありません。

むしろ、いつも能動的な人は、多くの場合、「何かを変えるために能動的」ではないからです。逆に言うと、そういう人は**本当の問題には目を向けず、「何も変えないために能動的」になる**のです。このような能動性をジジェクは「**偽りの行動**」と言っています。

たとえば、「この仕事、自分には合わないなぁ」と薄々気付きつつ、それを無視して、「生活をするためには、常に残業して働かなければならない」とガムシャラになっているような場合。この能動性（偽りの行動）を支えているのが、「相互受動性」なのです。

では、どうすれば偽りの行動から抜け出すことができるのでしょうか？

ジジェクは言います。

このような相互受動的な状態に対する、真の批判への第一歩は、受動性の中に引き籠り、参加を拒否することだ。この最初の一歩が、真の能動性への、すなわち状況の座標を実際に変化させる行為への道を切り開く。

『ラカンはこう読め！』

まずは、立ち止まってみること。その上で、自分で受け止める。人任せではなく、自分で。そして、「本当の問題はなんなのか」、を考えましょう。そこで初めて、**何かを変えるために能動的になることができる**のです。

スラヴォイ・ジジェク（Slavoj Žižek）1949－
スロベニアの哲学者、精神分析家、社会学者。ジャック・ラカンの娘婿であるジャック＝アラン・ミレールのもとで精神分析を学んだ。ラカン派精神分析学とドイツ観念論をオペラや映画、社会問題に適用し、一躍有名になった。

第13限目

ハンナ・アーレント「許しと約束」

人間関係がうまくいかなくて不安

YURUTTO TETSUGAKU

今日は私の誕生日♡
ドキドキ…
どんな準備してくれてるんだろ？
いぬのおきもち

もしかして…高級ディナーでサプライズ？
ムフフ…

ドキドキ
わく
わく
ふぁー

？
？
うとうと

寝た
がーん

ねぇ
私なんかお腹すいたぁ
はぁ…
晩ごはんどうする？

うーん
宅配ピザ！

ぴ
ぴざ？

私の誕生日
覚えてないいんだ…
…
もう帰って
？
？
最低

もう二度と
来ないで！
バタン
…
…
はぁ

なんでそんなに怒ってるの？
ここだよここ〜！
なんだうさぎかぁ
ドンドン
へえ
誕生日を忘れられて宅配ピザ？
埋め合わせをしてもらえば済む話じゃん
無理
だって私の22歳の誕生日は今日しかないんだよ？
今日じゃないと意味がないの！
まさか…彼に一度もチャンスを与えずに怒り続けるつもりってことかい…？
えええええええ

そ…
そうよ

えっ?それは流石にドン引きしちゃうよ…
ゾ
…
誰だって失敗することくらいあるじゃないか…

彼だって
毎日仕事で
疲れながらも
君に会いにき
てくれてるし
十分頑張って
いると思うけ
なぁ…他に何
求めているの
一緒にいるだ
で幸せっての
恋人じゃない
君は彼に見返
求めすぎてい
逆に聞くけど
君は彼に何を
提供してあげ
のかな?彼の
失敗を責め立

うるさいなもうっ!
ビクッ

これまで色々我慢してきたのに
誕生日すら祝って貰えない?…惨めすぎるよ

記念日
忘れたのも
我慢したし

彼が付き合いで
合コンに行くのも
我慢してあげたし

メールすぐに返さないのも
元カノといまだに友達なのも
遊びに行くのも我慢してあげ
てるしバレンタインのお返し
くれなかったのだって何も
文句言わないでいるし
自分の友達にはあわせ
はぁ

そんな
調子なら
うまく
いかなくて
当然だよ

…
どうして？

いいかい？
人間関係をうまく
やりくりするには
ひょこ
「許し」と
「約束」が
必要なんだ

時間は戻せないから
お互いダメなところは
許しあって

未来にどんなことが
起こるか分からないから
約束を作っていかなきゃ
ならないんだ

なのにキミは彼に許しを与えたふりをして
彼の失態をぐちぐちぐちぐち！まさに愚の骨頂だよ
イラァ～…
許すことすらできないのなら
別れてあげる方が彼のためだよ！
あ
じゃっ
待って…私どうすれば…
はぁ…どうしよう
とりあえず彼に謝ろう
たしかにいつも彼を許せていない
仲直りして色んな約束して彼とずっと…
ピンポーン
チャイム…？もしかして彼が…？
…いやお前かよ
あ
彼だと思ったー？

13th period

ハンナ・アーレント

コミュニケーションを円滑にする2つのキーワード

「親友と喧嘩してしまった」
「恋人とうまくやっていけるのかな」

人間関係というのは、良いことばかりではありません。時には、辛く悲しいこともあります。このような時、私たちはどうすればいいのでしょうか？　その時に参考になるのが、**ハンナ・アーレント**の**「許し」**と**「約束」**の議論です。

アーレントは、人間の行動を**「労働」**（生きるために働くこと）、**「仕事」**（芸術やものづくりなど、自分の命を超えるような世界を作る行為）、**「活動」**の3つに分けました。中でも、**「活動」を「人間の条件」として最も重要視**しました。

「活動」とは、「世界には、いろんな人がいる」という「多数性」を前提に、言葉や行為を通じて、「人と人が関わりあうこと」を指します。「活動」の中で、私たちは、お互いに「自分が何者なのか」を示しあいます。この「活動」によって、私たちは絶えず、他の人との関係を築いていくとともに、私たちが生きる世界を作り上げていくのです。

しかし、「活動」には2つの弱点があります。

1つは、**「不可逆性」**です。**「不可逆性」とは、自分が知らず知らずのうちに行ってしまったことを、「元に戻すことができない」こと**です。誰かと関わる時、人は、しばしば、不用意な発言や行動によって、他人を傷つけてしまうことがあります。

しかも、一度傷つけてしまえば、なかったことにはなかなかできず、過去に縛られてしまいます。これが「不可逆性」です。

2つ目の弱点は「不可予言性」です。「不可予言性」とは、自分のことを信じきれず、自分のすることがどのような結果になるのか、「予言することができない」ことです。自分が、明日はどうなっているのかわからない。相手も、明日はどうなっているかわからない。だから、他の人との関係がどうなるかなんて、誰にもわからない。これが「不可予言性」です。

「不可逆性」と「不可予言性」の超克

では、この「不可逆性」と「不可予言性」という2つの弱点を克服するために、どうするべきなのでしょうか？

アーレントは「許し」と「約束」という2つの救済策を示します。**「許し」は、お互いに過去の行為を許すことで、「不可逆性」を克服**します。お互いに許し合うことで、自由となり、新しく関係を作り直していくことができるのです。アーレントは言います。

> 人間は、常に自ら進んで自分の心を変え、再び出発点に戻ることによってのみ、何か新しいことを始める大きな力を与えられるのである。
>
> 『人間の条件』

一方、**「約束」は「不可予言性」を克服**します。お互いに約束し、約束を守ることで、「自分の進むべき道が明らかになる」とともに、「他の人とつながっていく」ことができる

アーレントは朝はゆっくりと起き、コーヒーを何杯も飲むという習慣を守るため、学生時代、午前8時の講義に出るのを拒否したんだって！

のです。

もし、人間関係に悩んでいるのであれば「許し」と「約束」を思い浮かべてみましょう。人との関係は、やり直すことができます。その上で、私たちは他の人と一緒に未来に向かって進んでいくことができます。最後に、アーレントのこの言葉を紹介しましょう。

——人間が生まれてきたのは死ぬためではなくて、始めるためである。

私たちは、人生を終わらすために生きているのではありません。何度だって、新しく始める。これは、人間だけが持つ力なのです。

ハンナ・アーレント (Hannah Arendt) 1906－1975
ドイツ出身の哲学者、思想家。ドイツ系ユダヤ人のアーレント家に生まれ、ナチズムが台頭したドイツから、アメリカ合衆国に亡命した。『全体主義の起源』を著し、全体主義について分析した。『人間の条件』等の著作によって、公共哲学の祖とも称される。

第14限目

パスカル「みじめさの自覚」

承認欲求を捨てきれなくて不安

YURUTTO TETSUGAKU

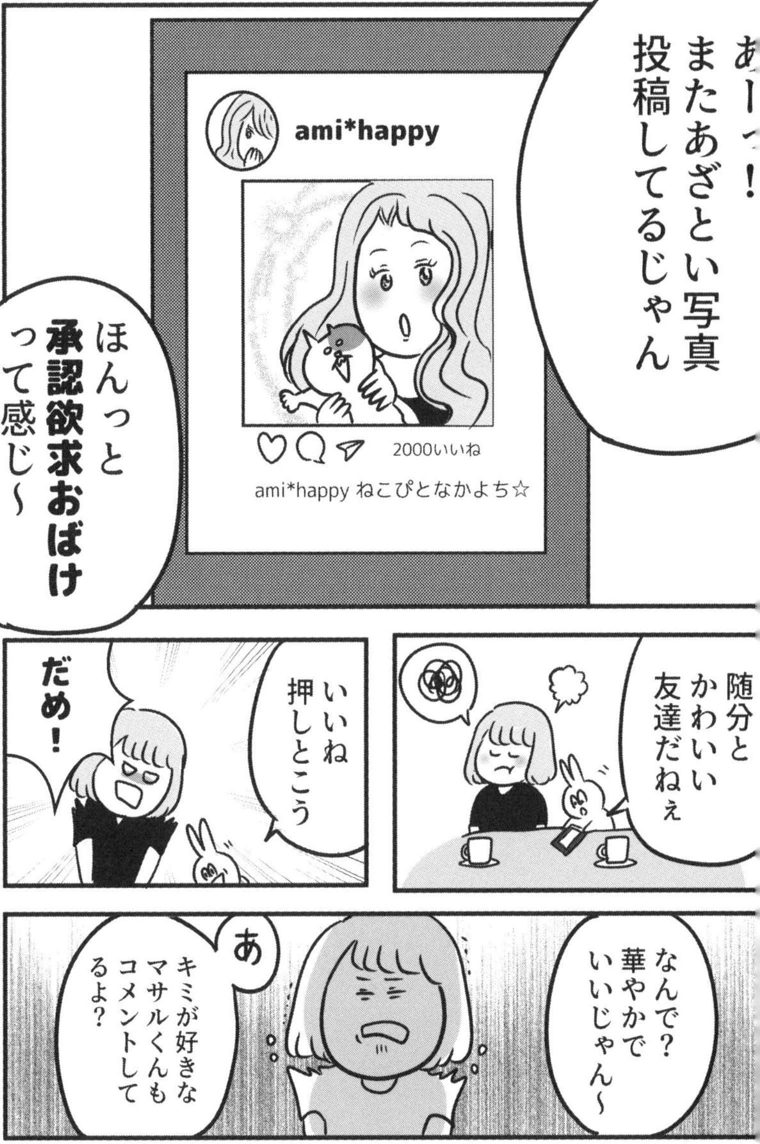

あーっ！
またあざとい写真
投稿してるじゃん

ami*happy

2000いいね

ami*happy ねこぴとなかよち☆

ほんっと
承認欲求おばけ
って感じ～

随分と
かわいい
友達だねぇ

いいね
押しとこう

だめ！

なんで？
華やかで
いいじゃん～

あ

キミが好きな
マサルくんも
コメントして
るよ？

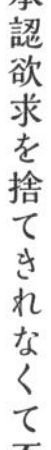

ばっか
じゃないの

本当に
「いいね」って
思うの〜？
よく見て！
これは
しょうもない
いいね稼ぎなの！

加工しすぎて
時空が歪んで
いるし

ネコじゃなくて
ネコと一緒に映る
自分を魅せたいの！

ほら見て？
ねこぴの顔！
白目むいてる
じゃないのっ！

彼女はまさに
承認欲求の
かたまり…
はぁ…
こうまでして
「いいね」が欲しい
だなんて哀れね

そう言う
キミの投稿は
どれどれ・・・

ダサァ～…
いいね１２件
いい感じのカカシを
見つけたワタシ。
うわぁ
これはひどい

失礼だけど
キミの場合は
少し他人の目を
意識した方が・・・
失礼ね
私は
硬派なの

人間の世界では
大人が承認欲求
垂れ流しなんて
みっともないの。

キミは
どうして
承認欲求を
悪者あつかい
してるの？

なんでって
他人に認めてもらうために必死になるのって
心の闇があるみたいじゃない？

え
心の闇
え

そーよ
いいねをもらうために必死なんだから
どん！

タピオカを買うときも
公園でピクニックをするときも
ホットックを食べるときも
肉フェスに参加するときも

ふーーん
行動全てがいいね欲しさの**承認欲求モンスター**ってとこね

・・・じゃあ
一度承認欲求をなくした世界を見てみようか

え？
承認欲求のない世界・・・？

パッ・・・
じゃーん！ここは
承認欲求をなくした街でーす

他人の目なんて
どーでもいいから
適当な外見
評価も名誉も
別にいらないから
お店もテキトー
レトルトで
いかなぁ
褒められても
別に嬉しくないから
つまらない勉強は
頑張らない

ひどい
有様ねぇ
みんな
やる気がないと
いうか・・・
そーだよ
誰だって
やる気の裏には
誰かに褒められたい
気持ちがあるからね

承認欲求が
あるからこそ
人間は必要以上に
がんばれるし
競争が生まれて
どんどんものや技術が
向上していく
そうやって
この世界は発展
してきたんだよ
えらいねぇ
すごいねぇ
教育格差を
なくしましょ

…そうね
私ももっと承認欲求に正直になってみようかなぁ…

14th period

パスカル

みじめな「承認欲求」をポジティブな力に変える

人は、「人に認められたい」と思うもの。SNSのキラキラした写真や投稿を見て、「くだらない承認欲求だ」と思う人も、いるでしょう。

しかし、本当にこの「**承認欲求**」は、全て悪いことなのでしょうか？

人の承認欲求を考える上で、ヒントとなるのが**パスカル**の『**パンセ**』です。

まず、パスカルは「**人間の不幸は、ただ一つのこと、一つの部屋に落ち着いてじっとしていられないことからやってくる**」と言っています。なぜかというと、部屋の中でじっとしていると、自分がいかにみじめな存在か思い知ってしまうからです。

不幸というのは、私たちがか弱く死すべき境涯に定められており、それを突き詰めて考えると、何によっても慰められないほどみじめだからである。『パンセ（上）』

このように、パスカルは、人間を「**虚しく、みじめな存在**」と捉えたのです。そして、人間は「自分のみじめさから目をそらす」ために「**気晴らし**」を求める、とパスカルは考えました。

この構造は、承認欲求も同じです。**承認欲求も、人間のみじめさを埋め合わせるために必要なもの**、とパスカルは指摘しています。

ただし、「それはほんの少しでも満たされれば、満足してしまうような欲求」としています。パスカルはこう言います。

> 私たちの思い上がりときたら、全世界の人々に知られたい、いやそれどころか、私たちの死後にやってくる人々にも知られたいと願うほど強い。そして私たちのうぬぼれときたら、周囲の五、六人に評価されるだけで、いい気になって満足するほど軽薄だ。
>
> 『パンセ（上）』

では、パスカルは「承認欲求を求める人」を否定したのでしょうか？

そうではありません。**承認欲求は、「承認欲求なんて下らない」と思う人も含めて、「誰にでもある」**とパスカルは考えます。

> 虚栄は人の心に深く錨を下ろしているので、兵士も従卒も料理人も人足も、それぞれ自慢話をしては、人から感心してもらおうとする。……（中略）……虚栄批判の文章を綴る著者は、見事に書いたという誉れを欲しがり、読者は読者でそれを読んだという誉れを欲しがる。
>
> 『パンセ（中）』

それでも承認欲求を肯定した理由

このようにパスカルは、承認欲求に対して厳しい見方をする一方、人間の原動力として肯定的に評価している部分もあります。

パスカルは、物理学や数学でも功績をたくさん残したんだよ～
天気予報とかの「ヘクトパスカル」も彼の名前に由来するんだ！

> 人間の最大の卑しさは名誉の追求にある。だが、それこそまさに人間の優越性の最大のしるしである。
>
> 『パンセ（中）』

人は、**「他人に自慢したい」という欲望をエンジンにして、積極的に行動する**のです。

さらに、パスカルは「人間の幸福はひたすらこの尊敬のうちにある」とまで、指摘します。

確かに、私たちの承認欲求は「みじめさからくるネガティブ」なものです。

しかし、場合によっては、私たちの「幸福につながるポジティブなもの」でもあるのです。

では、スタートはネガティブなものだった承認欲求を、ポジティブなものに変えるキーワードは何でしょう？　それは「自覚」です。

> 人間の偉大さは、自分がみじめであることを自覚しているところにある。
>
> 『パンセ（上）』

まずは、「承認欲求を欲しがることは、みじめだ」と自覚する。その上で、「**それでも、認められるよう努力しよう**」**と気持ちを切り替える**ことが、承認欲求をポジティブな原動力に変える秘訣、と言えそうです。

ブレーズ・パスカル（Blaise Pascal）**1623－1662**

フランスの哲学者、自然哲学者、物理学者、思想家、数学者、キリスト教神学者、発明家、実業家。「人間は考える葦である」などの名文句やパスカルの賭けなど多数の思弁が含まれている『パンセ』はあまりにも有名。パスカルの三角形、パスカルの原理、パスカルの定理などの発見でも知られている。

第15限目

ブッダ「怒りにうち勝つ」

イライラしやすくて不安

YURUTTO TETSUGAKU

あ！
あれってもしかしてフクロウ!?
ホー
ホー

えっ
すごぉい

ヤダァ超かわいい〜

ほんとね・・・
自己管理が
できないの
かしら？
やぁねぇ

イラァッ
ぷくー

ぷくー
あ

ムスッ

太ましい
フクロウが
怒ってる・・・
こわい・・・

あ・・・っ

怒ってる
あいつ
太くない？
太くない？
太ましい
自己管理が
できないの
こわ
怒
あい
太くな
太くない？
太ましい
自己管理が
できないの
こわい

プッツン

ぷく―

ドッカーン

あちゃー

怒りすぎて爆発しちゃった

ヒラ ヒラ ヒラ

大丈夫かい！

あわわ…

ほぅ

ボク…いつもこうなんだ…

シュポッ シュポッ

腹が立つと怒りが増幅してしまいには**大爆発！**

そうだね
性格が悪いのかもしれないね！

ガーン

まぁまぁ・・・怒るのはまだ早いよぅ

まずキミは誰にでも欠点があるってことを自覚すべきだよ

だから相手に腹を立てるんじゃなくて
自分で振り返ることが大切なんだよ
自己管理ができないのかしら
ほう
それでも怒りが抑えられないなら
深呼吸して落ち着いて言葉を選びながら話せばいいよ
数ヶ月後
なんか痩せた？
色んな意味で自己管理をしてるからね

15th period

ブッダ

怒りを克服できるたった1つの方法

「ついムッとしてしまう」

人間の感情の中で、最も厄介なものは「怒り」です。

仏教の開祖である**ブッダ**も、**「怒り」を人間の「煩悩」の一つ**としています。ちなみに、**「煩悩」とは、人につきまとい、心や体をかき乱すようなもの**のことを指します。

ブッダは、「怒り」のデメリットをいくつか指摘しています。

ここでは、3つ挙げましょう。

①相手のうらみを買ってしまい、怒りの連鎖を生む。
②怒りを向けた相手だけでなく、周りの雰囲気も壊す。
③他人のみならず、後々、自分を苦しめることになる。

ブッダは「怒り」のデメリットについて、次のようにいいます。

怒りたけった人は、善いことでも悪いことだと言い立てるが、のちに怒りがおさまったときには、火に触れたように苦しむ。

『ブッダの真理のことば・感興のことば』

たとえば、職場で上司が、部下をついカッとなって怒鳴ったケースを考えてみましょう。この場合、こんな状況になることが予想できます。

①部下の恨みを買った上、その部下はますます仕事のやる気をなくす。
②周りの人も萎縮して、職場全体のモチベーションが下がる。
③仕事がうまく回らなくなった結果、怒った当の本人も苦しむことになる。

このような場面は、職場に限らず、親子関係、友人関係など、あらゆるところで見られるのではないでしょうか？

ブッダは「目覚めた人」って意味で、尊敬を込めて呼ばれていたんだ
本名は「ガウダマ・シッダールタ」だよ～

ブッダ流アンガーマネジメント

では、「怒り」を抑えるためには、どうすべきでしょうか？

ブッダの言葉に沿って、ポイントを3つ紹介しましょう。

①「欠点のない人間などいない」ということを認識する。

ただ誹（そし）られるだけの人、またただ褒められるだけの人は、過去にもいなかったし、未来にもいないであろう、現在にもいない。

②相手を怒るのではなく、我が身を振り返る。

他人の過失を見るなかれ。他人のしたこととしなかったことを見るな。ただ自分のしたこととしなかったことだけを見よ。

それでも、「怒り」がふつふつと湧いてきたら、どうすればいいのか？

これについても、ブッダは対処法を説いています。

③身体を落ち着かせる。次に、言葉に気をつける。最後に、心を落ち着かせる。

つまり、まずは深呼吸をして身体を落ち着かせ、言葉を選んで優しく話す。

そして、その時には、**「怒ることでもない」と心に余裕を持つ**。

これが、ブッダ流のアンガーマネジメントなのです。ブッダはこう言います。

> 怒らないことによって怒りにうち勝て。善いことによって悪いことにうち勝て。わかち合うことによって物惜しみにうち勝て。真実によって虚言の人にうち勝て。

「人間ときには怒ることも大切」という考えを、ブッダは否定するでしょう。

ブッダにとって、**怒りとは、悪、ケチ、嘘と同じくらい無益なもの**なのです。

もし、怒りたくなったら、ブッダのアンガーマネジメントを思い出して、「怒り」に「うち勝ち」ましょう。

ブッダ (Buddha) 紀元前5世紀前後

本名はガウタマ＝シッダールタ、生年代は不明。古代インドの小国カピラ王国の王子として生まれたとされる。安楽な生活を送っていたとされるが、次第に生・老・病・死（四苦）に悩むようになり、29歳の時に、修行僧となる。その後、悟りを開き、「ブッダ」（正覚者）と呼ばれるようになり、その教えから仏教が生まれた。

第16限目

デカルト「方法序説」

仕事で結果が出なくて不安

YURUTTO TETSUGAKU

はぁ
つらぁ

ため息なんかついちゃって
なにがつらいの？

・・・
無能でつらいんだよ

オレの企画
いつも通らないんだよなぁ
のびーっ

オレ的にはいい案なのになぁ・・・
ほら見てよ
ペラ・・・

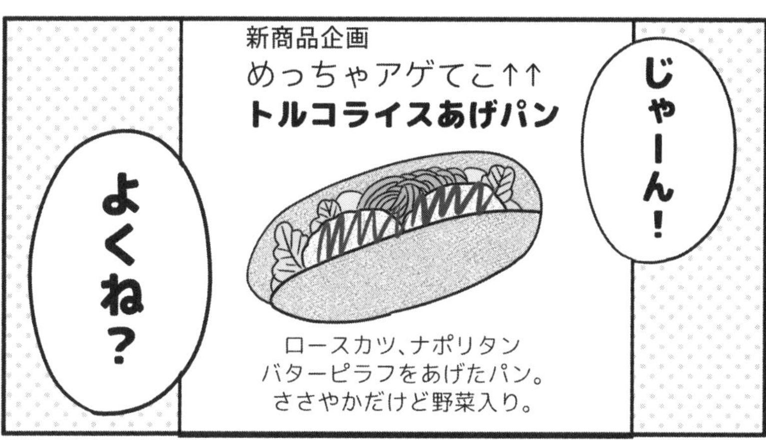
じゃーん!
新商品企画
めっちゃアゲてこ↑↑
トルコライスあげパン
ロースカツ、ナポリタン
バターピラフをあげたパン。
ささやかだけど野菜入り。
よくね?

・・・
こりゃ無能だ

そんなにひどいの⁉
うん
こんなのお腹をすかせた鳥だってしないよ
食べやしないよ

ていっ！
ビリッ

あーん
やらしい穴が開いちゃった
ぴょーん

そんなやばい企画を作っちゃうキミでも
ぴょーんっ
たいそう立派に問題解決できる方法を教えてあげるよっ！

① 明証性の尊重
すぐに判断したり偏見を持ったりしないで確実に正しいと思ったこと以外は受け入れないこと！

野菜が入ってると女性に人気が出るっていうのは本当なの〜？

しつこいものを揚げパンで挟むのってどこに需要あるの？

②問題の分割
考えるべき難問を
必要に応じて細かく
分割すること
どーん！
シンプルに
しつこい
見た目が
カオス
女子ウケ
しない
よいしょ
よいしょ

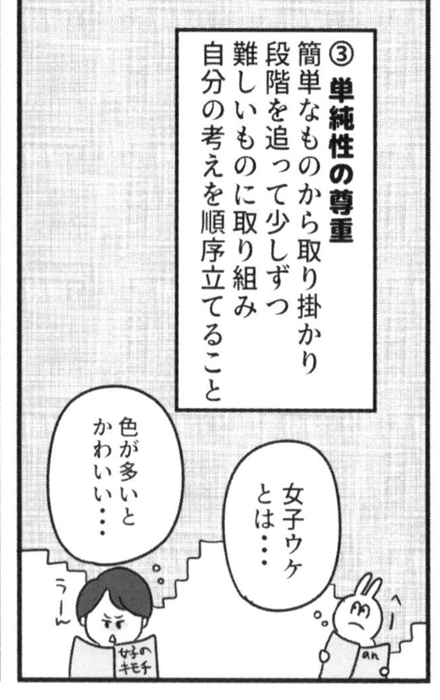
③単純性の尊重
簡単なものから取り掛かり
段階を追って少しずつ
難しいものに取り組み
自分の考えを順序立てること
女子ウケ
とは・・・
色が多いと
かわいい・・・
うーん
へー
女子の
キモチ
an

④網羅的列挙
最後に何一つ
見落としがないと
確信できるまで列挙し
再点検を重ねること
可愛さよし！
色味もよし！
味もよし！

そして・・・

わーい

わーい

これはいけるかもしれない！

16th period

デカルト

問題を解決するときは確実でカンタンなことから始める

私たちが仕事をする時、常に解決すべき問題が立ちはだかります。
この問題解決の方法に関しては、**ルネ・デカルト**の右に出る人はいないでしょう。
デカルトと言えば、あらゆるものを疑うことで、絶対に確実なものを探し求め（**方法的懐疑**）、「**我思う、ゆえに我あり**」（どんなに疑っても、疑う自分がいることは確かなこと）という結論にたどり着いた、近代哲学の祖です。
では、デカルトはどうやってこの結論にたどり着いたのでしょうか？
デカルトは『**方法序説**』という本の中で、真理、つまり、確実に正しいことを導き出すための方法として、４つの規則（ルール）をあげています。

デカルトの4つの規則

原文の表現を、少し噛み砕いて紹介しましょう。

【規則1】**明証性**
すぐに判断したり、偏見を持ったりすることは避けて、本当に確実なことは何かを見極めるようにする。もし、少しでも疑いがある場合は、受け入れないようにする。

【規則2】**分析**
問題解決に取り組むときは、問題の中身を細かく分けて、考えるようにする。

【規則3】**総合**
最もシンプルでわかりやすいことからはじめて、だんだんと複雑にしていく。

【規則4】**枚挙**
見落としがないように、しっかりと見直しを行う。

つまり、デカルトの思考法の特徴は、**「これは確実だ」というシンプルなものを出発点として、そこから別のものを導き出して、徐々に積み上げていくような思考法**です。このような思考法は、**「演繹（えんえき）」**と呼ばれます。

たとえば、「どんな人でも、ご飯を食べる」というシンプルなことから、「偉人でも、ご飯を食べる」という別のことを導いたとします。

これは、**確実なことを前提に、別の結論を導いているので、「演繹」**なのです。

さて、デカルトの4つの規則と演繹という考え方は、私たちの仕事や日常生活における問題解決でも役に立ちます。デカルトは、こう言います。

（前略）真でないどんなものをも真として受け入れることをさし控え、一つのものから他のものを演繹するために必要な順序をつねに守りさえするなら、どんなに遠く離れたものでもついには到達できないものはないし、どんなに隠れたものでも発見できないものはない。

『方法序説』

デカルトは、新しいことを知ろうとして、いろんな場所に旅に出たんだ
彼は「世間」は「大きな書物」だって言っているよ！

「仕事のプロジェクトをうまく進めたい」
「この問題にはどうやって取り組めばいいのか」
そう思ったら、4つの規則と演繹法を思い出してみましょう。
月への到達、素粒子の発見。
どんな偉業もきっと、確実でシンプルなことから始め、着実に進めた結果なのです。

ルネ・デカルト (René Descartes) **1596－1650**
フランスの哲学者、数学者。合理主義哲学の祖として知られている。考える主体としての自己(精神)とその存在を定式化した「我思う、ゆえに我あり」は哲学史上最も有名な命題の一つである。

第17限目

カント「エゴイズムと複数主義」

他人から批判されて不安

YURUTTO TETSUGAKU

ピロピロピロピロピロピロピロピロ……
あ

どうした青ざめちゃって
ピロピロピロピロ…

?
こりゃやっべーぞ

わわっ
なにこの通知数!
News Pigs
999

よかったねぇ
虎視眈々とバズ狙ってたもんねぇ
いやこれは

炎上だ
え

実は昨日
ウケを狙って
こんな写真をアップしたんだ
こりゃひどい
ニワトリ提督@niwanyan
鳥だけにジ・ド・リ
#産卵仲間募集
#鳥カツしない？
1.2万
12

ゴリラのおにいやん
チキンナゲットにしたろか
肉味噌仮面
加工乙ww
和牛チケット
ぶっさー フォロー外そ
鳥の貴族
鳥類の恥 ほんとやめて
うわぁ辛辣だぁ
うう…
ネッコちゃん
キモいのはいけないと思います。

きもいって
あやまれ
クソみたいな鳥
さっさと消えろ
おもんない
必死ww
無理〜
ボクへの非難が無限に流れてきて
こわい

どうしよう このままじゃ
ずーん…
ボク… 生きていけない

気にしすぎだよ！ この人たちは みんなみーんな
ただの エゴイスト なんだからさ

エゴイスト？
そうさ エゴイスト！

エゴイストっていうのはつまり自己中心的な人のことだよ!

それは
大きく三つに分類できるんだよ

一つ目は
論理的エゴイスト
自分の意見が正しいと信じてやまない人のことさ

二つ目は
美的エゴイスト
自分の美的センスだけを頼りに物事を評価する人のこと

そして最後は
道徳的エゴイスト
自分の利益になること以外は認めない人さ

それらを踏まえて

もう一度見てごらん

こいつたちは
美的エゴイスト
キモい
キモい
キモい

加工すな
論理的エゴイスト！
道徳的エゴイスト！
鳥に謝まれ

わーい
わーい
コケケケケ！
みんな
自分がエゴイスト
だって気づいて
ないんだね～

彼らも
他人の側に立って
物を考えられたら
人を不快な
気持ちにさせずに
済むのにねぇ～

！

それって
ボクのこと？

17th period

カント

「ジコチュー」から抜け出すシンプルな考え方

「あの人はジコチューで嫌い」などという、批判はよく聞きます。

このように自己中心的であることを、避けようとする人は多いでしょう。

それにしても自己中心的、つまり、**エゴイズム**とはどのようなものなのでしょうか？

近代を代表する哲学者**イマヌエル・カント**は、エゴイズムについてこう言います。

> 人間が私という言葉をつかって語りはじめるその日から、彼はそのいとしい自己を許されさえするかぎり押し出し、こうしてエゴイズムは前進して止まるところを知らなくなる。
>
> 『カント全集第十四巻　人間学・人間学遺稿』

つまり、**エゴイズムは自分自身のことを意識するようになった時点で、生まれ押し出してしまうもので、それに抗うことが難しい性質のもの**、としたのです。

そして、カントはエゴイスト（自己中心的な人）を3種類に分けています。

①論理的エゴイスト

自分の考えや判断を「他の人の視点から考えない」ようなタイプの人です。たとえば、自分の考えを絶対正しいと思い込んで、他人の意見を聞こうとしない人。もしくは、他人の意見に対して必要以上に怒る人が、あてはまるでしょう。

②美的エゴイスト

自分自身の趣味だけで満足し、他人の趣味嗜好や評価を無視するようなタイプの人です。スポーツ、アイドル、ファッション…人の数だけ趣味はありますし、自分だけの趣味に没頭することは悪いことのように見えません。しかし、他の人が興味もないのに、自分の趣味を押し付けるのは、自己中心的と言えるでしょう。また、カントは自分の趣味に

街の人はカントを見て「自分の時計の時刻を直した」という逸話があるくらい規則正しい生活をして、決まった時間に散歩をしたんだって！

浸りきってしまうことで、「より良いものを求めなくなる」という弊害についても、指摘しています。

③道徳的エゴイスト

「自分の利益になること以外は認めない」ようなタイプの人です。この道徳的エゴイストは、「他人など助けようとも思わない」典型的な自己中心的な人ももちろん含まれます。一方で、誰も興味がないのに、過去の栄光を延々と自慢したり、説教がましく講釈を垂れるような人も自己満足にすぎないので、道徳的エゴイストといえるでしょう。

エゴイズムを乗り越える「複数主義」

このようにエゴイズムは、私たちの生活のありとあらゆるところで見られます。これは前述の通り、エゴイズムの性質上、仕方のないことなのです。

しかし、私たちには、考える力、つまり、「**理性**」があります。人は、ほかの人と協力しながら生きていかなければなりません。**自分勝手すぎる振る舞いは、理性である程**

度抑える必要があります。

では、カントは「エゴイズムをどのように克服すべき」と考えたのでしょうか？

それは「**複数主義**」です。複数主義とは、「世界には自分だけでなく、いろいろな人や考え方が存在する」という見方のことです。言い換えれば、「**自分だけが世界の全てではなく、自分は世界の単なる1メンバー（世界市民）に過ぎない**」**と考えて行動するこ**とです。

今の時代は、「自分のことを考えるので精一杯」かもしれません。

でも、他人もまた「自分のことを考えるので精一杯」なのです。

それに気づくことが、人を思いやるための、初めの一歩となるのです。

イマヌエル・カント (Immanuel Kant) **1724－1804**

プロイセン王国（現ドイツ）の哲学者である。『純粋理性批判』『実践理性批判』『判断力批判』にて批判哲学を提唱し、認識論における、「コペルニクス的転回」をもたらした。カントによる超越論的哲学の枠組みは、西洋哲学全体に強い影響を及ぼしている。

あんな写真をアップしちゃうなんて
本気でバズらせる気あるの？

あれでも鳥界で一世を風靡したネタなんだけどね
タケノコ族の時代はね・・・

えっ・・・この鳥一体何歳・・・？
そ・・・そうなんだねぇ でも昔と同じ方法を繰り返していてもウケないよ・・・

まずはバズってるものを分析してみなよ
分析・・・

ふむふむ
メントスコーラ スライム風呂 アルミホイルでボール作り・・・

わかった！
コケコケ
意外性と手間が大事なんだっ！

鳥のおねいさんが
のり
きざみのりを数えてみるよっ！
再生回数 2回

数時間かけてきざみのり一袋数えきったのに・・・
次はジャコがいいかなぁ？
バズる兆しが何一つない・・・

第18限目

フロイト「死の欲動」

この世からスーッと消えたくなって不安

YURUTTO TETSUGAKU

はぁ・・・
しにたい

なんで?
なんかやなことでもあったのかい?

うーん
イヤなことがあるわけじゃないんだけど
ぱって
一瞬で消えられるならそうしたいって感じかなーっ

明日は
ゴミの日
?

今日は
公共料金の
支払い！
へー

おまけに
明日は職場の
飲み会だし！
いいなー

あーーッ
も〜〜〜
めんどくさい！
ひーー!!
しにたい
きえたい
もうヤダ〜ッ
びくっ

はぁ
こんなことで
しにたいなんて
サイテーだよね
はぁ・・・
えー？
別に
しにたいって
感情があっても
おかしくないよ

その気持ちは
死の欲動って
いって
人間にとって
当たり前の
衝動なんだよ

えー？
それホント？
ホントだよ

人間はそもそも
緊張状態を不快に
感じるもので
飲み会
公共料金
ゴミ出し
やること
いっぱい
ヤダ〜ッ
ちょうど今の君は
やるべきことが多くて
緊張状態にいるのさ

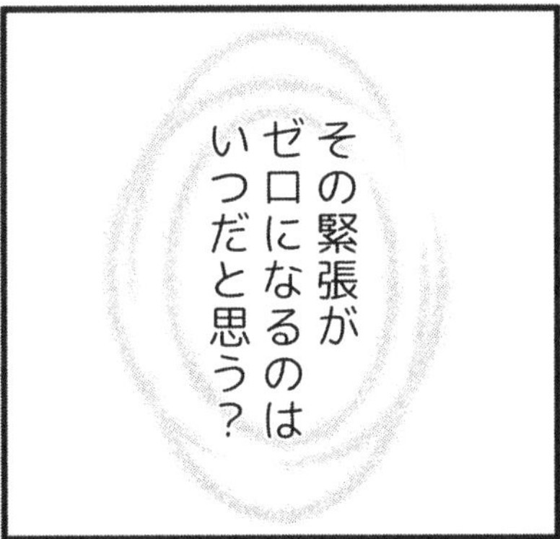
その緊張が
ゼロになるのは
いつだと思う？

それは
死んだときなんだ
うらめしや！
ち〜ん…

だから
人間は常に
死に向かう
性質があるって
言われてるんだ
生への道
死への道

さっきの
君みたいに
生と死の
欲動を葛藤
させながらね
フラ
フラ
生
死

じゃあ
生きてる限りは死の欲動があって当然なんだね〜
へ〜っ
うん
そうだよ〜

…でも緊張が続いた後それが解けたら気持ちいいでしょ？
もう
考えるのやーめたっ
あー
のび〜っ
もう家に帰ろっと

あー帰るのだるっ
きえたい
あと80年もしたらどーせ消えるから大丈夫だよ
ま
そーだね
生への道

18th period

フロイト

死はストレスフリーの状態 時に「消えたくなる」のは当然

「どこかに消えて無くなりたい」

何かトラブルがあったとき、もしくは特にこれといった理由はないときでも、どこかに消えてしまいたいと思ってしまう。強弱の違いはあれ、みなさんも一度はそういう経験があると思います。

でも、なぜ「消えてしまいたい」と思うのでしょうか？

ここで参考になるのは、精神分析の始祖である**ジークムント・フロイト**が唱えた「**死の欲動**」という考えです。

まず、フロイトが心のメカニズムをどう考えたか見ていきましょう。フロイトによると、人の心は「緊張や興奮を不快」と思うそうです。なので、心のメカニズムは、この緊張や興奮がなるべく少なくなるよう働きます。**緊張や興奮が減ることを「快感」と感じるようにする**のです。

このように、緊張や興奮などの不快を減らそうとする心のメカニズムを「**快感原則**」と言います。

たとえば、重要な仕事が続くと、生きた心地がしないことがあります。

一方、いざ仕事が終わるととっても気分が良くなります。これは、緊張や興奮が減ることで、快感が生まれているのです。

さて、ここまではみなさんも、日常の中でよく感じることだと思います。

しかし、フロイトはその先を行きます。フロイトは、**心が理想として目指しているのは、「緊張や興奮がゼロになる状態」**だといいます。

人はみな、生まれる前の「死」に戻りたい？

では、緊張や興奮がゼロになる状態とは、どんな状態でしょうか？

「無意識」という概念は、フロイトが生み出したものなんだよね
ちなみに、日本でも有名になったアドラーはフロイトのお弟子さんだよ

それは、すなわち「死」です。なぜなら、**死んでしまえば、そもそも何も感じることができなくなり、緊張や興奮が発生しない**からです。（ここでの「死」とは、生まれる前の生命のない状態のことを指します。）

つまり、**人の心には「死」を目指すメカニズムがある**というのです。これを「死の欲動」と言います。「**欲動**」とは、人間を突き動かす無意識の衝動のことを意味しましたが、この「死の欲動」があるからこそ、「死」を目指そうとするのです。

では、なぜ私たちは「死の欲動」があるにもかかわらず、生きているのでしょうか？

それは、「死の欲動」に対立する「**生の欲動**」があるからです。この「生の欲動」は、未来に向かって、生きようとする欲動です。

フロイトは、**人の心は、生まれる前の「過去」に戻ろうとする「死の欲動」と、「未来」に向かおうとする「生の欲動」という相反する二つの欲動がある**、と考えました。そして、その二つがぶつかりあいながら、成り立っていると考えました。つまり、人は「生の欲動」があるからこそ、「死の欲動」を完全には満たすことができないのです。

しかし、「死の欲動」は部分的に満たされます。たとえば、バンジージャンプなどの危険を伴う遊びは、「死の欲動」を部分的に満たす行為と言えるかもしれません。

時々「消えてしまいたい」と思ってしまうことは、不思議なことではありません。これは、「死の欲動」が強まっているサイン、つまり、心の不快感が高まっているから減らそうとしている状態と言えるでしょう。

ならば、普段は我慢していることを少し解禁してみて、心の緊張や不快を減らすようにすることが、よりよく生きることにつながるかもしれません。

ジークムント・フロイト(Sigmund Freud) **1856－1939**
オーストリアの精神科医。精神分析学の創始者として知られている。神経学者を経て精神科医となり、神経症研究、自由連想法、無意識研究を行った。マルクス、ニーチェと並んで20世紀の文化と思想に大きな影響を与えた人物の一人である。

こわい・・・・
こわいよ・・・・

どしたの？
もしかして
産卵期？
ヘラ
ヘラ

やだ
違うわよ
あのね・・・

スピードを出すと
骨折する危険性も
あるのに
なぜか

こんなふうに
勢いよく引っ込むのが
楽しくて
やめられない
とまらない・・・ッ！

それは
死の欲動
かもしれないねっ

しっ
死の欲動⁉

どうしよう
こわい・・・
繊細だねぇ

第19限目

ハイデガー「先駆的決意性」

「やる気」が出なくて不安

YURUTTO TETSUGAKU

はぁ
ぶーーん…
やる気が出なーい!

ぷぷぷぷぷぷ……
でもね〜?頑張ろうと思えば思うほどなんか萎えるっていうかぁ

んもぅっ!
真面目に話してるのに
ちゃんと聞いてよっ!
ひ

やる気がなくて辛いんだって？
ちゃんと聞いてるよ
ふき
ふき

やる気ねぇ
うーん・・・
・・・じゃあ
一つ聞くけど

キミの人生のゴールは何でしょう？
あ・・・っ
繊細なカメ

そうねぇ
あえていうなら幸せな未来ってとこかな？

ぶー
不正解！

ドキッ

キミのゴールは

「死」なんだよなぁ

不吉!?

キミは普段
「死」を忘れたふりして生きてるってことなのかい?!
そーよ
誰だってそーでしょ?
怖いし
ギリギリ…

キミのやる気が出ないのは
それが原因だよっ

人間はね
ポソ…
「死ぬこと」を意識して初めて「生きること」を大切にできるんだよ?

ほら

道の先をよーく見てごらんよ

ねぇ、キミはどんな気持ちになる？

40代

30代

20代

10代

でも
この考え方って
少しさみしい
気持ちになるよね

こうしてる
間にも
終わりに
向かって
るんだから

さみしく
なんかないよ？
目的地を入力
Pi
ほらっ

生きてる限り
どんな目的地でも
目指せるんだからさ
的地

さぁ
どこに
行こっか

19th period

ハイデガー

死を見つめることで主体的な生き方を取り戻す

「何をしてもやる気が出ない」

「無気力な感じから抜け出せない」

このような悩みに対しては、20世紀最大の哲学者の一人、**マルティン・ハイデガー**の「**先駆的決意性**（せんくてきけついせい）」という考えが参考になります。

ハイデガーは、人間のことを「**現存在**」と呼びます。**現存在という言葉には、「人は、ある特定の時間と場所に存在しており、自分だけの現実や人生を持っている」**という意味が込められています。

「**現存在」（人間）は、あらゆるものに意識を向ける**（「**気遣い**」**する）存在**です。

周りのモノや人、何より、自分に対して意識を向けます。その中で、常に自分に関わっていき、自分の生き方（自分の可能性）を選びとっていきます。このことを「**実存**」と言います。

しかし、**現存在（人間）は、普段、「実存」を自覚しないまま、「ほかの人もそうだから」と周りに流されてしまいます。**すると、「無個性な人」（**世人**（せじん）**、ダス・マン**）になってしまうのです。

たとえば、無個性な人は、「親に言われたから…」「周りに言われたから…」といって、進学や仕事といった人生の分岐点で、主体的に選ぶことができません。その結果、自分の本当にやりたいことを、後回しにしてしまい、無気力に陥りがちです。

不安があるから、実存を自覚できる

一方、現存在は生きている中で、次のように、ふと疑問に思う瞬間があるのです。

「どうして、自分はここに、こうして生きているのか？」
「どうせ死ぬのに、生きてて何の意味があるのか？」

このような思いは「**不安**」を生みます。

「現存在」(人間)は、「生まれたい」と思って、生まれてきたわけではありません。気がついたときには、「自分が選んだり、作ったりしたものでない世界」に、投げ込まれ、生きることを負わされた、とも言えます。この状態を「**被投性**(ひとうせい)」と言います。

否応なく世界に投げ込まれ、最終的には死によって世界から消される。このことに人は、ある時点で気づくので、不安が生まれるのです。

ところが、**この時生まれた不安は、逆に「自分の生き方を見つけるきっかけ」になります**。不安をきっかけに、死に向かい合うと、「自分が死ぬ」ということは、「自分だけのものだ」と気がつくからです(**単独化**)。そして、「自分に固有な死」に気がつくと、「自分だけの生き方とは何か?」と、新たな生き方を模索するようになります。

逆に言うと、不安がないと、人は「実存」を自覚しようとしません。

人生の先にある死を見据えて(**先駆する**)、**自分の生き方を決意する**。

これが、ハイデガーの「**先駆的決意性**」です。

かつて、東京帝国大学(現在の東京大学)は、ハイデガーを講師として日本に呼ぼうとしたんだけど、色々あって結局実現しなかったんだよねじぶんに固有な死に向かって先駆しながら自由になることによって、偶然的に差し迫ってくる、さまざまな可能性のなかで喪失されたありかたから解放される。

『存在と時間（三）』

あなたの人生は、あなただけのものです。
そして、あなたの人生は一度きりのもの。
「いつか自分は死ぬ」
そう意識することが、自分らしく生きることにつながるのです。

マルティン・ハイデガー (Martin Heidegger) **1889－1976**
ドイツの哲学者。１９２７年の著書『存在と時間』で存在論的解釈学により伝統的な形而上学の解体に取り組み、「存在の問い」を新しく打ちたてることを試みた。20世紀大陸哲学の潮流における最も重要な哲学者の一人とされている。

第20限目

カミュ「不条理を生きる」

生きている意味がわからなくて不安

YURUTTO TETSUGAKU

それでは面接の結果は
数日中にメールにて通知いたします

・・・
今日の面接も微妙な手応えだった・・・

私・・・
こんな調子で就職できるのかなぁ

ピピピピ…

今後のご活躍を
お祈り申し上げます

それなりに努力して
真面目に頑張って
生きてきたのに
なんで？
どうして？

ズルして生きてた
あの子が真っ先に
ねぇ
数学の宿題
うつさせて
大企業に内定
もらえたのはなぜ？

それなら
私の努力の意味は
なに？
なにか
いいことあった？

私の人生って
一体
何なの？

お姉さん
なにかお悩みで？

うらない？
う

あなたのその悩み・・・私にお聞かせください
占い

占いかぁ・・・たまにはいいかも
・・・

私・・・就活中なんですけど
ほう
30社も受けたのに全滅しちゃって
占い

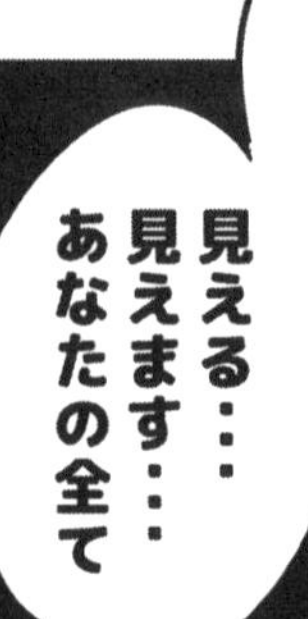

あなたの就職活動が円滑に進まない原因・・・それはまさしく**前世**のあなた自身が作ってしまった**カルマ**に原因があるのです・・・

前世のあなたは**米騒動**の主犯格であった・・・そのとき**宇宙エネルギー**があなたの体とリンクして**ゼロ波動**を生み出し恒星**ペテルギウス**が今でもあなたに**悪い波動**を与えてどんなに努力してもうまく行かないように仕向けて**アカシックレコード**は

ごくり…
よくわからないけど
前世のせいだった！

…なんて
ことを言ったら
満足かい？

本当はキミの失敗に
理由なんて
ないのさ！
パリン
ひ
占い

…
しーん…
占い

キミは
失敗には全て
理由があると
思ってるのかい？
え
占い

第20限目

生きている意味がわからなくて不安

思ってるから
相談してるのよ！
…まさかないの？
ないよ？
人生は不条理
なんだから

キミはすごく
努力してるのに
内定がもらえない
そして
その原因がわからず
状況をコントロール
できてないことに
不満を持っている
それを
不条理って
いうんだ

そして
不条理は
人生を無意味に
感じさせるんだ

…
…それって
生きてる意味なんて
そもそもわからないって
ことなの？

そういうこと！そうすると人生は無意味のようにも思えるし
もし意味があったとしてもそれは絶対的なものじゃなのさ！

でも 無意味でもいいことがあるよ

無意味ってことはキミを縛り付けるようなものがないってことさ
つまり 不条理があるからこそキミは自由に自分の人生の意味を探せるんだよ！

理由がわからないから自由に生きられる・・・か
・・・

ピピピピピ

あ・・・
31社目の
お祈りメール

電源
ピ

私に
お祈りなんて
もう結構よ
・・・

これからは

ゆるっと
生きてみても
いいかな
♩

20th period

カミュ

「人生は無意味」それでも希望は生まれる

「自分の人生には、意味があるのだろうか？」

この悩みは、答えがなく、とても深刻なものです。
しかも、この悩みは、一度取り憑かれるとずっと意識してしまうもの。
『ペスト』『異邦人』などの名作小説を生み出した、フランスの作家・哲学者、**アルベルト・カミュ**は、このような悩みを「**不条理**」として考えました。
カミュは「不条理」を次のように定義します。

不条理という言葉が当てはまるのは、この世界が理性では割り切れず、しかも人間の奥底には明晰を求める死物狂いの願望が激しく鳴りひびいていて、この両者がと

もに相対峙したままである状態についてなのだ。

『シーシュポスの神話』

私たちの心には、ものごとを「なんとか説明したい」「コントロールしたい」という願望があります。

しかし、**私たちの生きる世界には、「どうしても意味がわからないこと」「コントロールできないこと」がたくさんあります**。たとえば、自然災害、大規模な感染症の拡大、偶然起きた事故、自分が生まれた意味、などがそれに当たるでしょう。

このように、何とかして「説明づけたい、コントロールしたい願望」と、どうしても「説明やコントロールができない現実」が対立することを、カミュは「不条理」と呼んだのです。

不条理を生きる自由さ

「不条理」を意識すると、人は自分の人生の意味を見つけられずに苦しみます。それどころか、ありとあらゆることが、「無意味」に感じられるようになります。

この「不条理」を解決するために、人は「**自殺**」しようとしたり、神や宗教に救いを求めたりします。

しかし、自分の命を絶つことは、何の解決にもなりません。神や宗教などに救いを求めることも、人間の考える力を放棄することに過ぎません（**哲学的自殺**）。

では、カミュはどうすべきと考えたのでしょうか？

それは、「不条理を生きる」ことです。確かに、人が生きる世界には、どうしても割り切れない理不尽なことや、意味がわからないようなことがあります。

しかし、このような「不条理」、つまり、**無意味さに立ち向かう（反抗する）ことで、私たちは自分のことを絶えず意識するようになり、「自分なりの人生」を歩んでいこうと思える**のです。

また、「不条理」は確かに、人生の意味を含めて、全てを無意味にしてしまいます。

しかし逆に考えると、これはチャンスでもあります。なぜなら、自分を縛りつける一切のものも、無意味になるからです。いわば、我々は**白紙に戻った世界で、自由に自分なりの意味を見出すことができる**のです。

『ペスト』『異邦人』などの代表作があるカミュは、43 歳の時、戦後最年少でノーベル文学賞を受賞したんだ！ スゴッ！

カミュは言います。

> 以前は、人生を生きるためには人生に意義がなければならぬのか、それを知ることが問題だった。ところがここでは反対に、人生は意義がなければないだけ、それだけいっそうよく生きられるだろうと思うのである。

確かに「不条理」は、人を不安にさせます。しかし、自分の人生の意味に正解など、そもそも存在しないのです。**ゆるっとでも、不安を力に変えて、自分なりに考え続ける。その中で、この白紙の世界をほんの少しでも彩っていく**。

それができれば、きっと素敵な人生だと言えるのではないでしょうか。

アルベール・カミュ (Albert Camus) 1913－1960
フランスの小説家、劇作家、哲学者。第二次世界大戦中に『異邦人』『シーシュポスの神話』などで注目され、戦後に発表した『ペスト』がベストセラーとなった。

山で蛇に噛まれた
キャ
にょろりん～!!
不幸…
強烈なくせ毛
これまた不幸！
あ…
これも不幸ね
HAPPY
UNHAPPY
おもひで
片思い…不幸
貧乏…不幸
頭が悪い…大不幸
はーっ

不幸が圧倒的
多数・・・！
私の人生
不幸すぎ？
タタタ…
やだぁ～
ふん！
オラッ
ドンッ
ガッシャッ
え

ああ…せっかく数えたのに
全部台無し…
ああ…
♪
キッ
ぎゅ
あ
もう！
めっ！
うさぎのせいなんだからねー！
ちゃんと反省しなさいっ
…
反省？
やだよ

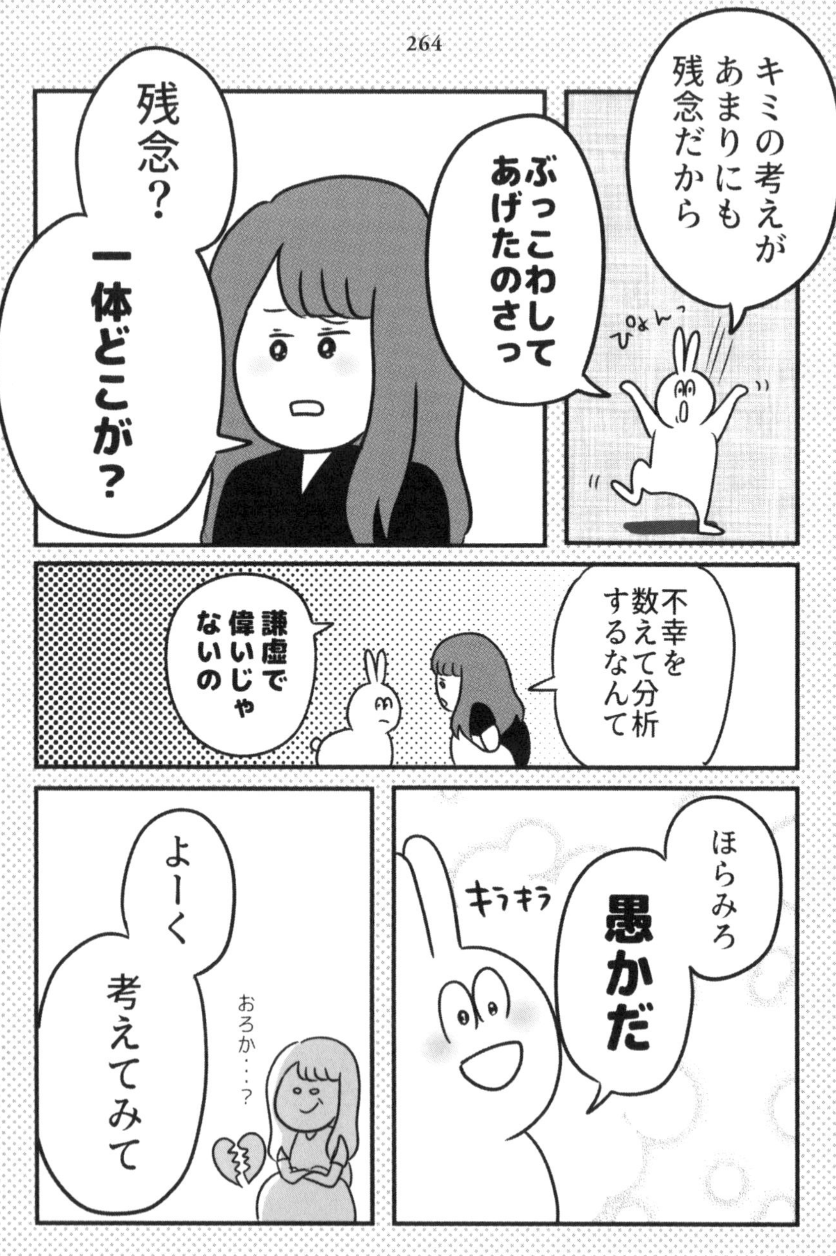
キミの考えがあまりにも残念だから
ぴょんっ
ぶっこわしてあげたのさっ
残念？
一体どこが？
不幸を数えて分析するなんて
謙虚で偉いじゃないの
ほらみろ
愚かだ
キラキラ
よーく
考えてみて
おろか…？

たとえば
ボクが
こーんなに
どーーん！
にんじんを
持っていたと
しよう

そして
こうしたら
どう思う？

くさった
にんじんが
ひとつ・・・

くさった
にんじんが
ふたつ・・みっつ
よっつ
ぱぱぱ
ぱぱぱ

あーん！
くさった
にんじんが
こんなに・・・
しくしく・・・
ボクって
なんて不幸
なんだろう

くさったものを
数えたって
幸せになんか
なれないよねぇ

幸せなんて
自分の意識次第で
決まる曖昧な
ものなんだよっ

人間って
不思議だよねぇ

わざわざ
不幸を数えて
既にある幸せに
見向きもしない

…ふぅ
これで完了
よいしょっと

じゃあ
行こっか
うん!

幸せって
こんなに
重かったのね

あとがき

世界中がパニックになった2020年。

誰もが不安になって、誰かに怒って、
悲しい気持ちになって、孤独を感じて、
我慢して、理不尽な気持ちになって。

今を生きる人々にとっては、
間違いなく未曾有の事態です。

だけど、タレスの時代(最古の哲学者と言われる)から
人間の悩みは同じで、哲学者たちは、その悩みに対して
あれこれと回答を出してくれているのです。

どんなに技術が進歩したって、人間の根っこは同じ。
哲学は、過去も今も未来も、ずっとずっと役に立つ、
人生のお供になるものだと思っています。

これから世界がどうなるのか
誰にもわからないけれど、
いつ、どんなときだって
幸せいっぱいで過ごせるはず。

だってあなたはもう
不安を力に変える方法を
知っているんだから。

それではまた、
どこかでお会いしましょう！

2020.5.26
ただっち

参考文献

VALIS DEUX（2000）『絵でわかる現代思想』日本実業出版社

アーレント、ハンナ（1994）『人間の条件』（志水速雄 訳）筑摩書房

ウィトゲンシュタイン、ルートヴィヒ（1976）『ウィトゲンシュタイン全集8　哲学探究』（藤本隆志 訳）大修館書店

カミュ、アルベルト（2006）『シーシュポスの神話』（清水徹 訳）新潮社

カント、イマニュエル（1966）『カント全集　第十四巻　人間学・人間学遺稿』（山下太郎・坂部恵 訳）理想社

サルトル、ジャン＝ポール（1955）『サルトル全集　第八巻　恭しき娼婦』（加藤道夫・伊吹武彦・芥川比呂志　訳）人文書院

サルトル、ジャン＝ポール（1955）『サルトル全集　第十三巻　実存主義とは何か？』（伊吹武彦　訳）人文書院

サルトル、ジャン＝ポール（2007）『存在と無：現象学的存在論の試み』（松浪信三郎 訳）筑摩書房

シオラン、E.M（1993）『思想の黄昏』（金井裕 訳）紀伊国屋書店

シオラン、E.M（2006）『カイエ：シオラン：1957-1972』（金井裕 訳）法政大学出版局

ジジェク、スラヴォイ（1998）「サイバースペース、あるいは幻想を横断する可能性」『InterCommunication』第24巻、pp.84-97

ジジェク、スラヴォイ（2015）『イデオロギーの崇高な対象』（鈴木晶 訳）河出書房新社

ショーペンハウアー、アルトゥル（2018）『幸福について』（鈴木芳子 訳）光文社

デカルト、ルネ（2010）『方法序説』（山田弘明 訳）筑摩書房

ドゥルーズ、ジル・ガタリ、フェリックス（2010）『千のプラトー：資本主義と分裂症』（宇野邦一ほか訳）河出書房新社
ドゥルーズ、ジル・パルネ、クレール（1980）『ドゥルーズの思想』（田村毅訳）大修館書店
ニーチェ、F.W.（2015）『ツァラトゥストラかく語りき』（佐々木中訳）河出書房新社
ハイデガー、マルティン（2013）『存在と時間』（熊野純彦訳）岩波書店
パスカル、ブレーズ（2015）『パンセ』（塩川徹也訳）岩波書店
バッキンガム、ウィル（2012）『哲学大図鑑』（小須田健訳）三省堂
フロイト、ジグムント（1996）『自我論集』（竹田青嗣 編・中山元訳）筑摩書房
フロム、エーリッヒ（1991）『愛するということ』（鈴木晶訳）紀伊国屋書店
ヘーゲル、G.W.F（2018）『精神現象学』（熊野純彦訳）筑摩書房
ベルクソン、アンリ（2001）『時間と自由』（中村文郎訳）岩波書店
ボードリヤール、ジャン（1979）『消費社会の神話と構造』（今村仁司・塚原史訳）紀伊國屋書店
伊藤邦武（2012）『物語　哲学の歴史：自分と世界を考えるために』中央公論新社
海老坂武（2015）『サルトル「実存主義とは何か」』NHK出版
大谷崇（2019）『生まれてきたことが苦しいあなたに：最強のペシミスト・シオランの思想』星海社
鬼界彰夫（2003）『ウィトゲンシュタインはこう考えた：哲学的思考の全軌跡 1912-1951』講談社
小林昌平（2018）『その悩み、哲学者がすでに答えを出しています』文響社

坂本耕一郎（1998）「ニーチェの永劫回帰思想について」『哲学会誌』第33号、pp.13-21
清水真木（2018）『ニーチェ入門』筑摩書房
高橋哲哉（1998）「赦しと約束：アーレントの〈活動〉をめぐって」『哲学』第49号、pp. 84-95
竹田青嗣・西研（2010）『超解読！：はじめてのヘーゲル『精神現象学』』講談社
田中正人（2015）『哲学用語図鑑』（斎藤哲也 編集・監修）プレジデント社
轟孝夫（2017）『ハイデガー『存在と時間』入門』講談社
中島義道（1997）『カントの人間学』講談社
仲正昌樹（2015）『ハイデガー哲学入門：『存在と時間』を読む』講談社
中山元（2017）『アレント入門』筑摩書房
中山元（2015）『フロイト入門』筑摩書房
長谷川曽乃江（1994）「サルトルにおけるコミュニケーションと倫理」『年報社会学論集』第7号、pp.191-200
三浦洋（1997）「アリストテレスの「エネルゲイア」と「キーネーシス」の区別に関する一考察」『西洋古典学研究』第45号、pp. 72-83
水野浩二（2002）「サルトルにおける他者論の可能性（〔北海道大学哲学会〕シンポジウム 他者）」『哲学』第38号、pp.1-17
宮島光志（1989）「カントのエゴイズム論：『実用的見地における人間学』の冒頭をめぐって」『東北哲学会年報』第5号、pp. 17-30
芳川泰久・堀千晶（2008）『ドゥルーズ キーワード89』せりか書房

著者／ただっち

東京大学大学院にて、社会心理学・社会情報学を専攻中の現役・東大院生。学部時代に英米文学を専攻し、ソローの『森の生活』を読んだことをきっかけに、哲学に興味を持つようになり、哲学関連の書籍を読みあさるようになった。現在は哲学の概念を用いながら、研究に取り組んでいる。
著書に『東大「ずる勉」英語』(ぱる出版)、『ただの主婦が東大目指してみた』(フォレスト出版)、『普通の主婦が東大大学院に合格して自分の人生を見つけた超勉強法 』(KADOKAWA) がある。

監修／小川仁志（おがわ・ひとし）

1970年、京都府生まれ。哲学者・山口大学国際総合科学部教授。京都大学法学部卒、名古屋市立大学大学院博士後期課程修了。博士（人間文化）。商社マン（伊藤忠商事）、フリーター、公務員（名古屋市役所）を経た異色の経歴。徳山工業高等専門学校准教授、米プリンストン大学客員研究員等を経て現職。大学で新しいグローバル教育を牽引する傍ら、「哲学カフェ」を主宰するなど、市民のための哲学を実践している。また、テレビをはじめ各種メディアにて哲学の普及にも努めている。NHK・Eテレ「世界の哲学者に人生相談」には指南役として出演。最近はビジネス向けの哲学研修も多く手がけている。専門は公共哲学。著書も多く、ベストセラーとなった『7日間で突然頭がよくなる本』や『ビジネスエリートのための！リベラルアーツ哲学』、『孤独を生き抜く哲学』をはじめ、これまでに約100冊を出版している。

不安(ふあん)を力(ちから)に変(か)える ゆるっと哲学(てつがく)

2020年7月27日　初版発行

著者　ただっち
発行者　常塚嘉明
発行所　株式会社 ぱる出版

〒160-0011　東京都新宿区若葉1-9-16
03（3353）2835—代表　03（3353）2826—FAX
03（3353）3679—編集
振替　東京 00100-3-131586
印刷・製本　中央精版印刷(株)

ISBN978-4-8272-1237-2 C0030